Ho'oponopono

Dados Internacionais de Catalogação na Publicação (CIP)
(Câmara Brasileira do Livro, SP, Brasil)

Bodin, Luc
    Ho'oponopono : o segredo da cura havaiana / Luc Bodin, Maria--Elisa Hurtado-Graciet ; tradução de Sonia Fuhrmann. – Petrópolis, RJ : Vozes, 2018.

    Título original : Ho'oponopono : le secret des guérisseurs hawaïens
    Bibliografia.

    2ª reimpressão, 2019.

    ISBN 978-85-326-5849-4

    1. Autoconhecimento 2. Filosofia de vida 3. Ho'oponopono – Técnica de cura 4. Medicina alternativa – Hawai 5. Vida espiritual I. Hurtado-Graciet, Maria-Elisa. II. Título.

18-18971   CDD-615.8528

Índices para catálogo sistemático:
1. Poder de cura : Meditação : Terapias alternativas   615.8528

Cibele Maria Dias – Bibliotecária – CRB-8/9427

Dr. Luc Bodin
Maria-Elisa Hurtado-Graciet

Ho'oponopono

O segredo da cura havaiana

Tradução de
Sonia Fuhrmann

VOZES
NOBILIS

© Éditions Jouvence S.A., 2011.
Chemin du Guillon 20
Case 162
CH-1233 – Bernex
http://www.editions-jouvence.com
info@editions-jouvence.com

Título do original em francês: *Ho'oponopono: Le secret des guérisseurs hawaïens*

Direitos de publicação em língua portuguesa – Brasil:
2018, Editora Vozes Ltda.
Rua Frei Luís, 100
25689-900 Petrópolis, RJ
www.vozes.com.br
Brasil

Todos os direitos reservados. Nenhuma parte desta obra poderá ser reproduzida ou transmitida por qualquer forma e/ou quaisquer meios (eletrônico ou mecânico, incluindo fotocópia e gravação) ou arquivada em qualquer sistema ou banco de dados sem permissão escrita da editora.

CONSELHO EDITORIAL

Diretor
Gilberto Gonçalves Garcia

Editores
Aline dos Santos Carneiro
Edrian Josué Pasini
Marilac Loraine Oleniki
Welder Lancieri Marchini

Conselheiros
Francisco Morás
Ludovico Garmus
Teobaldo Heidemann
Volney J. Berkenbrock

Secretário executivo
João Batista Kreuch

Editoração: Elaine Mayworm
Diagramação: Sheilandre Desenv. Gráfico
Revisão gráfica: Fernando S.O. da Rocha
Capa: Érico Lebedenco

ISBN 978-85-326-5849-4 (Brasil)
ISBN 978-2-88353-937-2 (França)

Editado conforme o novo acordo ortográfico.

Este livro foi composto e impresso pela Editora Vozes Ltda.

Sumário

Pictogramas, 7

Apresentação, 9

Prefácio, 11

Introdução, 15

1 Conhecer Ho'oponopono, 19
   Uma pequena metáfora, 21
   As origens, 22
   Os princípios da base de Ho'oponopono, 25
   As memórias erradas, 26
   Tudo está no interior, 29

2 Ho'oponopono e nossa identidade, 31
   As diferentes partes de nossa identidade, 33
   Cultivar as relações entre as diferentes partes de si mesmo, 34
   As quatro frases do mantra de purificação, 37
   O processo de transmutação, 41
   Receber a inspiração, 46

3 Ho'oponopono em prática, 49
   Uma sessão de limpeza, 51
   Os benefícios da prática de Ho'oponopono, 55
   As ferramentas de limpeza, 58
   Criar as próprias ferramentas, 60

4 Ho'oponopono no dia a dia, 61
   Um problema de relação, 63

Um problema financeiro, 64
Um obstáculo na vida, 65
Uma dependência, 65
Preparar-se para um acontecimento, 66
Um problema de sobrepeso, 68
O reflexo Ho'oponopono, 69
Ho'oponopono ao deitar e ao levantar, 69
A limpeza do corpo, 70
A limpeza das relações familiares, 72

5 Um caminho de evolução, 73
Vítima, criador, divino, 75
Ho'oponopono e os terapeutas, 76
O caminho de cada dia, 77
Estamos todos ligados, 78
A mensagem de Emoto, 80
As novas energias, 82

Conclusão, 85

Anexos, 91
   1 Meditação para entrar em contato com o Eu superior, 93
   2 Meditação para se conectar à criança interior, 97
   3 Exercício utilizando a técnica Z-point, 101

Referências, 105

Pictogramas

 Atenção

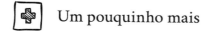 Um pouquinho mais

 Um pouco de história

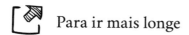 Para ir mais longe

 Conclusão

Nosso livro deseja ser claro, de fácil leitura e didático. Ele contém rubricas facilmente encontradas por meio dos pictogramas anteriores, os quais permitem o acesso à essência do texto.

Que sua leitura seja proveitosa!

Apresentação

Ho'oponopono é ao mesmo tempo uma filosofia de vida, cujas origens remontam provavelmente à antiguidade havaiana, e uma extraordinária ferramenta de evolução pessoal. A técnica foi desenvolvida no século XX pela curandeira Morrnah Simeona, em seguida pelo Dr. Ihaleakala Hew Len e por Joe Vitale. A seu modo, cada um deles utilizou e difundiu Ho'oponopono conforme sua experiência e seu sentimento.

Neste livro, desejamos transmitir a todos os nossos conhecimentos de Ho'oponopono, da forma como o compreendemos e por meio de nosso próprio caminho de evolução.

Superar os obstáculos da vida

Não é nossa intenção explicar aqui os primórdios de Ho'oponopono; mais do que isso, queremos falar de nossas experiências e da maneira pela qual é possível lançar mão de Ho'oponopono no cotidiano para superar obstáculos da vida e se libertar dos velhos esquemas e programas errados que nos conduzem ao sofrimento, aos conflitos e aos problemas.

Por outro lado, faremos referência a "Deus", à nossa "divindade interior", à "parte divina" que existe dentro de cada um. Todas elas denominações da mesma "essência" ou da mesma "vibração" que nos é difícil reduzir a uma única palavra.

Princípio de vida

Não se trata de proselitismo... isso estaria em total contradição com os princípios de Ho'oponopono que, ao contrário, desenvolvem a liberdade individual e, de forma geral, a não reclusão em dogmas. As palavras "Deus" e "divindade" referem-se simplesmente a denominações dadas por Morrnah Simeona e retomadas pelo Dr. Len.

Caro leitor, não se detenha nessas palavras, pois elas poderiam ser substituídas por "Universo", "Espírito", "Vida", "Princípio de Vida", vocábulos que indicam simplesmente a presença de um elemento situado além da nossa dimensão material e que nos engloba numa unidade: o Universo, Deus ou aquilo em que você deposita sua crença... pois, no fundo, o nome dado importa muito pouco.

Prefácio

Dr. Luc Bodin

Minhas pesquisas me conduziram inexoravelmente dos estudos médicos para a medicina energética. Em seguida, procurando explicações para os resultados obtidos nessa terapia, fui levado a estudar física quântica.

> **Nosso pensamento molda a energia a seu modo**

De início, fiquei muito desapontado ao constatar o quanto essas maravilhosas descobertas, que revolucionaram totalmente nossa visão da vida e do universo, continuavam desconhecidas do grande público, uma vez que haviam sido analisadas por Einstein e outros há mais de um século. Por outro lado, percebi o quanto essa admirável física se aproximava da filosofia e, até mesmo, da espiritualidade. Ela mostra – ou melhor, demonstra – que o espírito se impregna na matéria, podendo transformá-la quase conforme sua vontade. Em contrapartida, a teoria das cordas explica perfeitamente que tudo no Universo está unido – reunido seria a palavra que melhor conviria.

Quando comecei a estudar Ho'oponopono, compreendi imediatamente que essa concepção da vida estava correta. Ela se aproximava e ampliava as teorias da física quântica, mostrando que nós estamos não somente reunidos, mas também, na realidade, formamos UM com nosso ambiente e com o Universo. Nosso interior e nosso exterior formam uma unidade. Quando apresentado desse jeito, fica fácil entender que somos os criadores de nos-

Encarar a vida com um novo olhar

sa vida e de todos os acontecimentos, grandes ou pequenos, que a compõem.

Nosso pensamento molda a energia à sua maneira, conforme sua inspiração, mas também de acordo com seus esquemas negativos, suas crenças limitantes, suas memórias erradas, seus medos que invalidam, criando assim um mundo constituído de sombras e luzes.

Tudo isso não passava de teoria e enchia minha cabeça de uma magnífica concepção da vida... Felizmente, Ho'oponopono me manteve com os pés no chão. Graças a ele, a teoria se transformou em prática e comecei aos poucos a encarar os acontecimentos da vida sob uma nova perspectiva. Isso se fez calma e progressivamente; o velho reflexo de responsabilizar o outro pelos incidentes ou conflitos da minha vida ainda era muito forte.

Quando me preocupava com alguma situação futura, praticava Ho'oponopono enviando amor e pedindo para que se apagassem todas as memórias erradas relativas a tal situação. Percebi então que os acontecimentos tão temidos se desenvolviam com uma facilidade inacreditável. Da mesma forma, quando uma pessoa demonstrava agressividade para comigo, no lugar de responder com a mesma moeda, eu compreendia essa agressividade como algo vindo de um sofrimento que tinha guardado dentro de mim e enviava-lhe amor, praticando Ho'oponopono.

Ho'oponopono me permitiu superar muitas dificuldades, as quais teriam me paralisado ou, pelo menos, me desestruturado profundamente. Essa "filosofia" nos dá a possibilidade de encarar as pequenas e grandes adversidades da vida: a vaga no estacionamento que outro motorista nos "rouba" sorrateiramente depois de ficarmos rodando muito; a inesperada e "salgada" fatura do conserto do refrigerador que parou de funcionar em um belo domingo de verão; o carro que

Ferramenta de evolução pessoal

não dá a partida quando temos um compromisso importante etc. Sabendo que tudo vem de mim mesmo, encaro a vida com menos agressividade e, principalmente, com muito mais serenidade.

Por conseguinte, minha visão do mundo se desanuviou e, à medida que praticava Ho'oponopono, a tranquilidade me invadia. No entanto, ficava impressionado com a quantidade de bloqueios, de condutas inapropriadas, de esquemas desorganizadores que guardava dentro de mim... Ainda hoje em dia continuo a varrer as velhas memórias que me bloqueiam.

Ho'oponopono é como um raio de sol em minha vida porque me ensinou que podia, eu mesmo e sem ajuda de ninguém, libertar-me dos velhos bloqueios limitantes; mas também, e principalmente, começar a criar a vida que desejava: mudar o ambiente de trabalho; ter um trabalho mais interessante; melhorar minhas relações conjugais; desenvolver laços de amizade com os vizinhos... Enfim, com um pouco de tempo e paciência estaria em condições de criar uma vida que responderia muito mais às minhas aspirações profundas...

Outro aspecto de Ho'oponopono, e não dos menores: trata-se de um formidável instrumento de evolução pessoal. Todos começamos a usá-lo como meio de amenizar os conflitos de nossa vida e de nos livrar dos tormentos que ocorrem. E, a cada solução, a cada memória errada apagada, acabamos por evoluir sem prestar atenção. É preciso, uma vez ou outra, olhar para trás para ter a medida do caminho percorrido graças a Ho'oponopono. Ele nos coloca novamente no caminho de nossa evolução que porventura deixamos.

Ho'oponopono é um excelente instrumento de liberdade que nos

Instrumento de liberdade

coloca como criadores de nossa vida. Além de ter consequências importantes, isso também nos torna livres diante das doutrinas e dos dogmas, porque nos lembra continuamente que a verdade está em cada um de nós e que é inútil procurar em outro lugar. Isso é maravilhoso, não é?

Finalmente, com Ho'oponopono não existe ódio, ciúme, calúnia, rancor... só existe perdão, compreensão e amor. Isso é reconfortante. Ho'oponopono nos ensina não somente o amor aos outros, mas também, e principalmente, o amor a si mesmo. Isso constitui um belo caminho... que você certamente não se arrependerá de trilhar.

Introdução

Maria-Elisa Hurtado-Graciet

Ho'oponopono chegou em minha vida em bom momento, talvez por sorte. Lembro-me bem da sensação que tive ao encontrar novamente a verdade que, embora fosse conhecida, havia esquecido. Essa verdade me acompanha desde então e continua a me deixar maravilhada cada vez que se manifesta em minha realidade. Esse também é o caso da maioria das pessoas com as quais compartilhei essa mensagem.

Senti em seus olhares uma faísca, um sorriso de alegria. E, logo após ter feito uma respiração profunda, elas diziam: "Sim, é isso mesmo, está certo!"

Imagino que me perguntem: "Que verdade é essa?" Em tal caso, deixarei a vocês o prazer de descobri-la, porque algumas palavras não são capazes de expressar todos os aspectos, toda a grandeza, todo o esplendor de Ho'oponopono. É um presente: cada um deve descobri-lo a seu modo.

Ho'oponopono também se traduz por uma prática. Neste livro, mostraremos o modo de usá-lo. Depois, você poderá experimentá-lo e descobrir o que ele trará para sua vida.

Ho'oponopono vem de uma antiga tradição havaiana que traz em si os princípios simples e, no entanto, profundos deixados pela sabedoria ancestral. Muitas civilizações antigas detinham

> **"Sim, é isso mesmo, está certo!"**

"Uma outra versão de mim"

semelhante conhecimento. Assim, quando os maias saudavam, eles diziam: "In Lakesh", que quer dizer "Você, uma outra versão de mim". Os indianos, para dizer "bom dia", falam: "Namaste", que significa "Eu saúdo o Divino em você", isto é, reconheço a divindade interior que está em você.

Parece que, durante sua evolução, nossa sociedade esqueceu o essencial... Felizmente, nos últimos anos, as verdades esquecidas voltaram à tona sem dúvida porque estamos abertos para recebê-las. Ho'oponopono é uma delas. Em última instância, nos ensina que cada um é totalmente livre, e isso é maravilhoso.

A grande vantagem de Ho'oponopono consiste na simplicidade em integrá-lo ao nosso dia a dia. As coisas simples são sempre fáceis de aplicar e, em definitivo, isso é o mais importante. Outra vantagem da técnica: é possível aplicá-la mesmo estando sozinho. Se você gosta de ser o piloto de sua vida, então Ho'oponopono vai agradá-lo! Não é necessário procurar "a" solução em livros ou em longos seminários complicados e caros, pois a solução está dentro de si mesmo e Ho'oponopono permite que você a encontre.

Quando decidimos escrever este livro me perguntei o que Ho'oponopono me havia trazido concretamente. A primeira coisa que encontrei foi a paz – a paz interior! Consigo permanecer calma, embora haja muitos contratempos na vida. Os acontecimentos deslizam sobre mim como as gotas de água nas penas das aves. Antes, quase sempre ficava com raiva dos outros ou de mim mesma quando as coisas não saíam como desejava. Hoje em dia, não saberia dizer onde essa raiva foi parar. E cá entre nós, eu não quero saber. O mais importante é que, se por acaso ela voltar (seria uma raridade), agora tenho os meios para transformá-la.

Encontrar a paz interior

Parar de julgar os outros

Outro presente trazido por Ho'oponopono: parei de julgar. Não consigo mais julgar as pessoas. Quando vocês experimentarem, verão como é confortável e tranquilo para o espírito. Economizamos assim nossa energia, que pode ser dirigida para aquilo que realmente é útil. Somos capazes de, por exemplo, limpar nossa casa interior para começar a nos sentirmos bem.

Os aspectos de Ho'oponopono foram se integrando progressivamente à minha vida. Exigiu tempo e paciência. A integração se fez por etapas. No início, quando praticava, esperava para ver se as mudanças na situação ocorriam. Algumas vezes funcionava, outras não. Pensava então: "De novo um ardil que só funciona uma vez ou outra". Depois, aos poucos, à medida que fui lendo e me informando sobre o método e, principalmente, sobre a prática, ele foi se integrando mais profundamente em minha vida. Compreendi então que não deveria esperar nada de especial. Trata-se tão somente de aceitar mudar os pensamentos errados que mantemos no interior de nós. E, uma vez liberados deles, as coisas, os acontecimentos pelos quais não esperávamos, começam a se produzir em nossa vida. Essa nova atitude, ou maneira de ser, você descobrirá neste livro. Atitude que associa humildade, responsabilidade, fé e desprendimento.

Ho'oponopono me trouxe um terceiro presente: o sentimento de unidade. Sinto-me cada vez mais em união estreita com "tudo"... tudo o que está à minha volta e tudo o que acontece em minha vida. Somos todos UM e tudo se passa no interior.

Viver no cotidiano... Ho'oponopono permitirá compreender o que essas palavras carregam. Ele possibilitará que, aos poucos, esse "viver" se integre a você, até incluir as menores células do corpo.

É importante compreender que Ho'oponopono não é um fim, mas um caminho... caminho de cada dia feito de pequenas etapas. Quanto mais o praticamos, mais ele se torna fácil e agradável... Isso também é maravilhoso!

Ele permite que integremos uma nova consciência, uma consciência de unidade e de compartilhamento... na alegria, no prazer, na felicidade.

Divirtam-se bastante!

❋ 1 ❋
Conhecer Ho'oponopono

› Origem
› Princípios

Ho'oponopono não nos explica apenas que somos criadores do mundo no qual vivemos... mas também que, se mudarmos nossas memórias erradas, seremos capazes de transformar radicalmente nosso mundo.

Uma pequena metáfora

Para começar, uma pequena história. Ela permitirá compreender melhor Ho'oponopono. Uma certa manhã, uma mulher se levantou e se dirigiu, ainda um pouco sonolenta, até a cozinha. Ela cruzou com a filha que estava indo para a escola e, imediatamente, notou uma mancha em seu rosto. Ela disse à filha: "Você viu a mancha em seu rosto?" Apanhou um lenço e começou a passar sobre a mancha, que não saiu. Depois de um momento, ela parou e a filha foi para a escola.

Uma hora depois, a mulher saiu para fazer compras. Na rua, cruzou com uma vizinha que apresentava, para seu espanto, a mesma mancha de sua filha, no mesmo lugar do rosto. Em seguida, o carteiro que entregava as correspondências também apresentava a mesma anomalia. A mulher pensou: "Mas é impossível. O que está acontecendo hoje com todas as pessoas que têm a mesma mancha no rosto?" Avisou a todos que, mesmo esfregando bastante, não conseguiriam se desfazer das manchas.

Uma dessas pessoas, então, disse-lhe que ela também tinha a mesma mancha. Uma mancha no rosto. Horrorizada, ela pegou um espelho e constatou que, de fato, tinha a mesma mancha... Inacreditável! Deve ser uma epidemia! Rapidamente, pegou um lenço em sua bolsa e esfregou, esfregou... Subitamente, como por milagre, a mancha desapareceu. O mais impressionante: ao mesmo tempo em que a mancha sumiu de seu rosto, desapareceu do rosto das outras pessoas em volta dela. Foi então que a consciência acordou. Ela percebeu aí que as pessoas que estão perto dela são seu próprio reflexo, como se olhasse para um espelho.

Ao perceber isso tudo, ela sorriu e tudo se tornou muito mais simples. Ela enviou então, por meio

O outro é um espelho

de seus pensamentos, um agradecimento a todas as pessoas que encontrou naquela manhã: "Obrigada, porque sem vocês eu não teria visto a mancha em meu rosto e jamais a teria limpado".

Essa pequena história "reflete" perfeitamente o que é Ho'oponopono. Trata-se simplesmente de compreender que os outros são apenas nosso espelho... e que tudo o que acontece à nossa volta, em nossa vida, é o reflexo de alguma coisa que se encontra em nosso interior. Isso constitui o primeiro elemento de Ho'oponopono. Olhando um pouco além, trata-se de incorporar que somos criadores de tudo o que nos cerca e de tudo o que acontece em nossa vida.

As origens

Ho'oponopono significa "corrigir o que está errado" ou "tornar correto", ou seja, conforme à verdade. Dessa forma, esse modo de proceder permitirá corrigir os erros de pensamento que estão na raiz de todos os problemas de nossa vida.

Ho'oponopono foi aperfeiçoado por Morrnah Simeona, uma curandeira havaiana. Ela recuperou um ritual utilizado antigamente nos vilarejos para resolver problemas comunitários. O processo consistia em congregar as pessoas que, assim reunidas, compartilhavam todos os problemas e conflitos. Em seguida, cada um pedia perdão aos outros pelos pensamentos errados que haviam tido.

| **Tornar correto**

A nova versão criada por Morrnah é praticada de maneira solitária, sem necessidade da intervenção de outras pessoas. Trata-se essencialmente de um processo de arrependimento e de reconciliação consigo mesmo. Isso implica a comunicação com nossa "divindade interior".

Ho'oponopono nos permite desenvolver uma profunda relação com o Eu interior, a quem devemos pedir incessantemente que limpe nossos pensamentos errados. Esse processo coloca a mente em segundo plano e nos permite ter acesso ao Eu profundo, que tem a faculdade de determinar, por meio da intuição e da inspiração, as ações corretas e apropriadas a serem tomadas.

Morrnah dizia sempre: "A Paz começa comigo". E também: "Nós estamos aqui somente para trazer a Paz para nossa própria vida e, quando trazemos a Paz para nossa vida, tudo à nossa volta encontra seu lugar e seu ritmo, encontra a Paz". Isso é precisamente o primeiro objetivo dessa prática: encontrar a paz interior.

Morrnah afirmava que todos os seres humanos estavam sobrecarregados pelo passado e sempre que uma pessoa sentisse medo ou estresse, ela deveria ter o cuidado de observar dentro de si. Chegaria à conclusão de que a causa de seu mal-estar estava em alguma de suas memórias.

Ho'oponopono foi em seguida levado para todas as partes do mundo graças a um artigo escrito por Joe Vitale disponibilizado na internet, o qual mostrava como o Dr. Ihaleakala Len havia contribuído para a cura de doentes mentais em um hospital psiquiátrico no Havaí. Esta é sua história.

Formado por Morrnah Simeona, o Dr. Len foi trabalhar no hospital do Havaí. Ao chegar, percebeu que os doentes eram muito violentos e as condições de trabalho para os funcionários eram particularmente difíceis. Alguns meses depois de sua chegada, notava-se um pouco de calma entre os pacientes e os funcionários. Aos poucos, as celas de isolamento ficaram vazias e os tratamentos foram aliviados. No final de três anos, a sala na qual foram colocados os casos mais graves foi fechada, pois praticamente todos os doentes melhoraram de modo significativo e haviam sido liberados.

Em minha vida, sou criador de tudo

Nessa história, o mais inacreditável é que o Dr. Len nunca via seus pacientes. Ele se fechava em seu escritório e olhava simplesmente os arquivos dos pacientes um a um e trabalhava em si mesmo. E, à medida que trabalhava sobre si, os pacientes melhoravam mais e mais.

Quando a notícia se espalhou, todos perguntavam o que ele havia feito para obter tal resultado. Ele respondia:

– Eu curava a parte de mim que os havia criado. Pois tudo em minha vida é minha criação. Sei que é difícil admitir, mas se quero mudar minha vida, devo começar a mudar a mim mesmo.

É tudo? Sim, é tudo!

– E como o senhor faz isso?

– Eu analiso cada arquivo e repito: "Sinto muito, perdão, obrigado, eu te amo".

– Isso é tudo?

– Sim, é tudo!

Se uma pessoa diz estas palavras: "Sinto muito, perdão, obrigado, eu te amo", não as endereça a ninguém em particular. Ela invoca simplesmente um espírito de amor para curar a parte de si mesmo que se relaciona ao problema. Dessa forma, corrige os pensamentos errados que tem a esse respeito.

Um pouquinho mais

"Amar-se é a melhor maneira de se melhorar e, à medida que a pessoa melhora, ela melhora o mundo que a envolve."

Os princípios da base de Ho'oponopono

As técnicas de Ho'oponopono são baseadas em cinco princípios:

1) A realidade física é uma criação de meus pensamentos

Tudo aquilo que forma nossa realidade, nosso entorno, nossa vida é somente o resultado ou a criação de nossos pensamentos.

2) Quando meus pensamentos são errados, eles criam uma falsa realidade física

Quando meus pensamentos são errados, falsos, distorcidos, carregados de rancor, de ciúme, de mentira... eles acabam criando uma falsa realidade. Além disso, o que é mais grave: termino por acreditar que essa falsa realidade é a verdadeira realidade da vida... Isso faz com que eu me feche ainda mais nos pensamentos errados, criando assim um verdadeiro círculo vicioso. Para escapar disso, basta que mude meus pensamentos para que a realidade se transforme.

> **Mudar meus pensamentos para mudar a realidade**

3) Quando meus pensamentos são perfeitos, eles criam uma realidade cheia de amor

Quando meus pensamentos são perfeitos, eles organizam um mundo repleto de amor para mim. Dessa maneira, se meu mundo, ou seja, minha realidade não está repleta de amor, isso significa que meus pensamentos não estão perfeitos e que devo continuar trabalhando para melhorar...

Criar um universo

4) **Tudo está no interior. Tudo existe em pensamento no meu espírito**

De fato, o real em geral não existe. O que existe é minha própria realidade criada incessantemente por meus pensamentos. Isso posto, tudo existe somente nos meus pensamentos, no meu interior. Meu interior cria a realidade exterior.

5) **Criador do próprio universo físico, quando corrijo meus pensamentos mudo minha realidade.**

Como o artista que pinta uma tela com diferentes pincéis, criamos nosso universo. Isto é, cada pessoa cria uma realidade com a ajuda dos bons e maus pensamentos. As partes escuras do quadro representam as sombras de nosso espírito. Somos capazes de transformar essa realidade física corrigindo e mudando os pensamentos inadequados. Dessa forma, as zonas escuras vão desaparecer dando lugar a um espaço de afeição, zelo, benevolência, isto é, um espaço de amor.

As memórias erradas

Tudo aquilo que nos cerca, o mundo, o universo, as pessoas que encontramos, as situações vividas representam apenas o reflexo de nossos pensamentos. Consequentemente, devemos procurar compreender a origem dos pensamentos, principalmente os pensamentos errados, falsos, distorcidos, dolorosos, agressivos que, certamente, todos possuímos. De fato, onde se originam? Resposta simples: em nossas memórias. Essa resposta, no entanto, não é suficiente, pois leva a outra questão: O que são as memórias?

Uma memória é um programa inconsciente criado por um acontecimento que a pessoa viveu no passado.

As crenças funcionam como filtros

Algumas vezes, esse acontecimento pode ter sido vivido por um parente ou um ancestral. Essa memória está na origem das crenças que, de certa forma, deformam a percepção da realidade. Por conseguinte, as crenças são como filtros através dos quais percebemos o mundo que nos cerca.

Uma frase de Paul Ferrini[1] se aproxima bastante desse conceito: "Se quer conhecer a realidade, deve liberá-la de qualquer julgamento e profunda e simplesmente permanecer nela". Assim, os julgamentos e as memórias inconscientes são como véus que dissimulam a realidade. Tanto impedem sua compreensão como não nos permitem acesso a ela.

Quando, por exemplo, uma pessoa espera algo de outra pessoa (frequentemente sem que a outra

A realidade percebida é matizada pelas memórias inconscientes

tenha conhecimento disso) e não obtém o que deseja, ela pensa: "Essa pessoa não é confiável; não posso contar com ela"; ou: "Ela é egoísta"; ou então: "Ela não cumpre suas promessas", e muitos outros julgamentos armazenados no espírito. Depois disso, quando encontra aquela pessoa, ou pensa nela, esses pensamentos e crenças ressurgem. Não consegue mais ver a pessoa como ela é de fato, só a enxerga pelo filtro de suas lembranças, seus preconceitos, ou seja, pelas memórias guardadas em seu pensamento.

Da mesma forma, qualquer realidade percebida é matizada por numerosas memórias inconscientes, produzidas por experiências passadas ou por nossos parentes ou ancestrais,

---

1 FERRINI, Paul. *L'Amour sans conditions*. Quebec: Éditions Le Dauphin Blanc, 2006.

História – O 20º camelo

Era uma vez um árabe que viajava pelo deserto com seu serviçal e 20 camelos. Uma noite, quando pararam para dormir, só havia 19 paus para amarrar os camelos. Consequentemente, eles não podiam amarrar o último camelo. O empregado perguntou ao patrão como devia fazer e obteve a seguinte resposta: "Faça de conta que está colocando outra estaca e amarre o camelo. Assim, ele acreditará que está amarrado". Isso foi feito. Na manhã seguinte, todos os camelos estavam lá. Os homens desamarraram os camelos e retomaram a estrada. De repente, perceberam que o último camelo não havia acompanhado os restantes. Perceberam que o empregado não havia feito o gesto de desamarrá-lo e o camelo acreditava ainda estar amarrado.

Isso é exatamente o que fazem nossas memórias: dão a impressão de estarmos ainda amarrados e liberam programas inapropriados que não nos permitem avançar. Ho'oponopono nos torna conscientes de que uma memória bloqueia nosso caminho e, em seguida, ele a apaga.

que aí se encontram, talvez, desde os tempos mais remotos.

Portanto, sempre que nos deparamos com um problema, devemos compreender que é somente uma memória intervindo e agindo no interior de nós mesmos. Isso mostra a grande importância que existe em eliminar continuamente os filtros e os programas que nos impedem de ter acesso à realidade como ela é.

A origem de nossos problemas está em nossas memórias. Como manchas, elas impedem a luz de entrar. Quando as limpamos, mudamos a maneira de pensar e, obrigatoriamente, nossa realidade se transforma. A história do 20º camelo ilustra bem esse aspecto.

Tudo está no interior

Passei a minha vida tentando mudar os outros, minha família, meu vizinho, meu patrão, o governo, a sociedade... e constatei que isso não funciona. É desesperador! "Eles" não querem compreender. "Eles" não compreendem nada do que dizemos. São incapazes etc. etc. Ouvimos com frequência esse tipo de argumento sair da boca dos outros... mas, admitamos, da nossa também. Então, o que fazer? Permanecer no rancor e no ódio? Essa não é uma solução.

Temos condição, por outro lado, de mudar nosso modo de ver os acontecimentos e, para tanto, começar a modificar nosso próprio ponto de vista inicial e aceitar fazer uma limpeza em nosso próprio interior, porque é aí que se encontra a solução. Toda mudança em nosso entorno só será possível se uma limpeza em nossas memórias interiores, em nossas crenças enganosas, em nossos sofrimentos íntimos, é efetuada. Esse é o ponto de partida.

> **O interior é o ponto de partida**

Sempre é importante lembrar que:

> Tudo se encontra no interior, nada está no exterior.
> Sou 100% criador de tudo o que ocorre em minha vida.

Quando uma pessoa considera que a fonte de seus problemas vem do exterior, ela fica bloqueada, enfraquecida e rapidamente se desespera. Não está em condições de fazer nada, pois concede seu poder a algo que se encontra no seu exterior. Essa pessoa, nessa condição, se coloca como vítima e espera que alguém ou algum acontecimento a salve. Breve, espera um milagre e não vê nenhuma solução para sair da situação.

Eu decido mudar

Cada pessoa é livre, evidentemente, para apreender a vida como quiser e para interpretar as experiências a seu modo. É preciso estar atento para não cair na culpa e no ressentimento ou no rancor em relação aos outros ou a si mesmo, visto que esses sentimentos são como ácidos que corroem o espírito, não permitindo que a situação mude.

De agora em diante, se partimos do princípio de que a realidade é moldada pelos pensamentos e, portanto, de que os problemas encontrados na realidade são resultado dos pensamentos errados ou dos preconceitos guardados nas memórias antigas, frequentemente inconscientes, fica claro que, ao apagar essas memórias, os pensamentos errados e os julgamentos em relação a elas imediatamente serão eliminados. Consequentemente, a realidade vivida pela pessoa vai, *ipso facto*, mudar.

Para se libertar dessas memórias, basta recorrer a Ho'oponopono. Dessa forma, todos os pensamentos errados serão eliminados. O primeiro passo nessa direção consiste em tomar a decisão de limpar as memórias interiores. Essa é uma decisão pessoal. Somente nós mesmos temos a faculdade de decidir quando estamos prontos para mudar, ou não.

Um pouquinho mais
Se você quiser medir o quanto está aberto às mudanças, pode fazer o seguinte exercício:
Fique diante de um espelho. Olhe bem dentro de seus olhos, diga a seguinte frase: "Estou pronto(a) para mudar meus pensamentos errados e para mudar meu ponto de vista sobre a vida".
Observe o que acontece com você. Essa afirmação parece verdadeira? Você pode repeti-la todas as manhãs para trazer um pouco mais de flexibilidade na maneira de pensar.

2
Ho'oponopono e nossa identidade

As diferentes partes do ser

O importante é conscientizar-se de quem somos. Ora, não somos nossas memórias. Ao contrário, somos seres divinos...

As diferentes partes de nossa identidade

Para melhor compreender os princípios de Ho'oponopono, vamos mergulhar agora nos diferentes elementos que compõem nossa identidade, conforme determina a tradição havaiana. Ela seria composta de quatro elementos:
- O **subconsciente** ou **Unihipili**, que em havaiano quer dizer "criança". Trata-se aqui de nossa criança interior, a parte emocional de nosso ser. Também é a parte de nós em que todas as memórias estão estocadas. Não somente nossas próprias memórias, mas também as memórias dos pais, dos ancestrais e das vidas passadas.
- O **consciente**, em havaiano **Uhane**, que significa "mãe". Ele corresponde ao mental ou intelecto. Graças a essa parte, somos capazes de fazer nossas escolhas.
- O **superconsciente**, em havaiano **Aumakua**, que significa "pai". Podemos também dizer alma ou ser superior. Ele faz parte de nós, mesmo que se encontre em outra dimensão. Ele não se deixa levar pelas memórias e está sempre conectado a Deus.
- **Deus** ou **inteligência divina**, que se encontra em cada ser e que nos conecta a todos. Essa parte pode ser chamada de "Deus em nós". A limpeza das memórias será feita por ela, mas somente se fizermos expressamente o pedido porque mantemos sempre o livre-arbítrio.

> **Sempre mantemos o livre-arbítrio**

A partir desses quatro elementos de nossa personalidade, vejamos como se desenvolve um processo de cura pela técnica Ho'oponopono. Como vimos, quando um problema surge na vida de uma pessoa, trata-se de fato de uma memória que se materializa em sua realidade. Graças ao consciente, a pessoa terá precisa-

mente consciência do problema e escolherá uma maneira de tratar a situação. Tem, assim, autorização para:
– deixar-se guiar pelas memórias e continuar a funcionar como uma marionete guiada por elas;
– dizer "basta", reconhecendo que aquilo que vê em sua vida é somente o produto de memórias antigas e que pode, mas também deseja, mudá-las.

Nessa segunda solução, a pessoa entra em contato com seu ser superior (sua alma) para pedir que sua parte divina limpe as memórias erradas. E seu trabalho termina aí. A pessoa não tem mais nada a fazer. Deve simplesmente desprender-se e deixar que a divindade interior faça seu trabalho. Com o tempo, a confiança se desenvolverá e a pessoa terá a certeza de que a solução encontrada para o problema é a melhor. Uma solução que chegará rapidamente.

Cultivar as relações entre as diferentes partes de si mesmo

As diferentes partes da identidade de um indivíduo interagem incessantemente entre si; cada qual com um papel. O objetivo final consiste em estarem em perfeita harmonia, pois, caso uma delas se torne dominante, a pessoa não conseguirá encontrar sua verdadeira identidade. A pessoa se torna e realiza o que verdadeiramente é graças à união de todas essas partes. Dessa forma, é extremamente importante desenvolver e cultivar as boas relações entre elas.

1) A relação entre a "mãe" e a "criança interior" é crucial

A mãe, o Eu consciente, deve cuidar de sua "criança interior", o subconsciente. Para tanto, ela deve reconhecer, respeitar e manifestar seu amor e, dessa forma, apaziguar a "criança interior" que, com frequência, sofre e se sente abandonada. Como está sempre muito ocupada, a "mãe" – a mente – pensa, reflete, quer tudo compreender e tudo controlar, ocupando assim todo o espaço. Consequentemente, a "criança" fica por conta de si mesma; refém das memórias, manipulada como uma marionete.

Para encontrar novamente a "criança interior" em seu estado "puro" será preciso limpar todas as memórias que a confinam e a impedem de ser ela mesma. Ela deve confiar para que coopere e concorde em deixar as memórias. Por isso é crucial uma relação afetuosa entre "mãe" e "criança interior"; caso contrário, resistências podem se desenvolver.

Para cultivar essa relação a pessoa deve estar não somente atenta às necessidades, mas também às emoções, aos medos, raivas, tristezas... para reconhecê-los. Dessa forma, a "criança interior" terá confiança e será capaz de colaborar no processo de purificação.

É como aquela mãe que tirava, uma a uma, as lêndeas dos cabelos da filha. A filha amava esse momento porque se sentia amada e cuidada. A mãe lhe dava uma atenção particular. É exatamente isso que se deve fazer com a "criança interior": eliminar cada uma das memórias que a impedem de alcançar a liberdade e a paz para que, em seguida, encontre novamente a alegria, a espontaneidade e se torne ela mesma.

> **Um pouquinho mais**
>
> Anexo ao livro, você encontrará:
> • uma meditação, que o ajudará a entrar em contato com sua "criança interior";
> • um exercício prático baseado na técnica Z-point, permitindo que você efetue a limpeza sempre que uma memória negativa aparecer.

2) A conexão entre o consciente (a mãe) e o superconsciente (o pai ou ser superior)

A partir do momento em que decidimos limpar uma memória que nos atrapalha, a mente/consciência se comunica com o superconsciente/ser superior a fim de que ele peça à Inteligência Divina para limpar a memória em questão e transmutá-la em luz. A transmutação é uma noção muito importante, porque não se trata de um processo de desconstrução, mas de amor. Não se trata de destruir a memória que nos perturba, mas, ao contrário, de transmutá-la em energia positiva.

Dessa maneira, estamos em condições de cultivar a relação que existe entre as diferentes partes de nossa individualidade, principalmente entre o consciente e a alma/ser superior. Além disso, estando a alma sempre em contato com Deus, ao cultivar a relação entre a mente e a alma, desenvolveremos a relação com nossa parte divina.

Sempre que tomarmos a decisão de limpar as memórias que nos perturbam, entraremos em contato com a parte superior de nosso ser que alguns chamam de alma. De fato, é a partir dela que a transmutação será iniciada.

Einstein dizia que não era possível resolver um problema no mesmo nível em que fora criado. O mesmo ocorre em Ho'oponopono. Para transmutar uma memória que aprisiona o subconsciente é necessário mudar de nível e passar para o âmbito espiritual, uma vez que é a partir dele que a liberação ocorrerá.

A prática regular de Ho'oponopono permite reforçar os laços que unem o nível subconsciente ao nível espiritual, como uma amizade que se consolida pelos contatos repetidos. Nós nos sentiremos cada vez mais próximos de nosso ser superior; sendo assim, a conexão ocorrerá de maneira mais fácil e rápida.

Ao nos ligarmos à alma, sentiremos igualmente que estamos mais centrados, de bem com a vida e com nosso ser.

Estar ligado a nosso ser superior nos dá uma grande força interior que permitirá encarar serenamente todos os obstáculos da vida.

O objetivo último é que nos sintamos em comunhão com o Universo, quiçá com Deus... mas igualmente que nos lembremos que também somos uma emanação de Deus.

Estabelecer uma conexão direta

Quando aprendermos a permanecer em contato com nossa divindade interior não precisaremos mais de gurus nem mesmo de intermediários que nos mostrem o caminho. Nesse período de início do terceiro milênio, a evolução da consciência nos convida a estabelecer uma conexão direta com o Universo.

> **Um pouquinho mais**
> Em anexo, pode-se encontrar uma meditação guiada que pode ser gravada e depois ouvida, quando você preferir, para aprender a entrar em contato com seu ser superior.

As quatro frases do mantra de purificação

Para iniciar o programa de limpeza das memórias que incomodam existem várias possibilidades. A ferramenta mais frequente consiste em repetir as quatro frases de purificação ao mesmo tempo em que se reflete sobre "ser o único responsável pelos erros de pensamento" e deixar a limpeza nas mãos de Deus.

As quatro frases são:
- **Sinto muito!**
- **Perdão!**
- **Obrigado!**
- **Eu te amo!**

Cada uma delas possui um poder excepcional: "Sinto muito!", "Perdão!" significa outra coisa que assumir a culpa.

Nem culpado, nem vítima

De fato, não há vítima e culpado, não há bem e mal. Cada um é simplesmente o criador da própria vida e de tudo o que nela acontece. É possível representar a realidade como um grande campo de experimentação organizado por nosso inconsciente, sem nosso conhecimento, a fim de despertar nossa consciência para as memórias erradas que estão em cada um de nós. Nesse caso, onde está a culpa? Os acontecimentos da vida se tornam, por isso, simples indicadores de nosso estado de pensamento... frequentemente chamado de "estado de alma", sem que haja nenhum julgamento de valor a ser concedido.

Por outro lado, quando nos sentimos culpados em relação a alguém, nós lhe retiramos uma parte de seu próprio poder criador.

O perdão é liberador

Desse modo, é importante abrir mão da culpa. Ela também é uma memória errada que deverá ser limpa.

As frases "Sinto muito!", "Perdão!" podem também ser apresentadas como um pedido de desculpas pelo acontecimento desarmonioso produzido por nossos pensamentos, pois não sabíamos possuir essa memória negativa e não foi de propósito que provocamos o problema. Sendo assim, pedimos perdão a Deus pelos pensamentos errados que acabaram por criar a situação desagradável. O perdão permitirá cortar a ligação com as memórias erradas. Ele liberta; é um elemento essencial. Como se diz, a saúde começa pelo perdão...

Excerto

Somos capazes de atingir a paz interior somente quando praticamos o perdão. Perdoar é libertar-se do passado sendo, portanto, o meio de corrigir os erros de percepção.

Estamos agora em condições de corrigir nossos erros de percepção ao nos livrarmos dos rancores e dos remorsos em relação aos outros. Por esse processo de esquecimento seletivo tornamo-nos livres para abraçar o presente sem sentir a necessidade de encenar novamente o passado. Por meio do verdadeiro perdão podemos acabar com o ciclo interminável da culpa e olhar para os outros, como para nós mesmos, com um olhar de Amor. O perdão nos libera dos pensamentos que parecem separar uns dos outros. Livres dessa crença na separação, estamos curados e somos capazes de ampliar esse poder de cura pelo Amor a todos aqueles que nos rodeiam. **A cura vem de um sentimento de unidade.**

Ao mesmo tempo em que a paz interior é nosso objetivo, o perdão é nosso único instrumento. Quando, concomitantemente, aceitamos o objetivo e o instrumento, nosso interior torna-se nosso único guia para a realização. Estamos livres e podemos libertar os outros da prisão das percepções ilusórias e deformadas. Temos a faculdade de nos unir a eles na unidade do Amor.

"Amar é se libertar do medo."

(Dr. Gerald Jampolsky. *Aimer, c'est se libérer de la peur.* Toulon: Éditions Soleil, 1988.)

Na sequência, duas frases mágicas: "Obrigado!", "Eu te amo!" A gratidão envia um agradecimento não somente à Vida, porque mostra o que deve ser limpo, mas também às memórias erradas que, ao se manifestarem em nossa vida, permitem que tenhamos consciência delas e que possamos liberá-las. Finalmente, agradeço a Deus e expresso toda essa gratidão.

O "Eu te amo!" é enviado a Deus, a nós mesmos e às memórias erradas. Também é por amor e unicamente por amor que poderemos transmutá-las em luz. Dessa maneira, o pedir "perdão" abrirá o coração; o "Obrigado, eu te amo!" permitirá que a luz divina entre em nós e transmute as emoções e os pensamentos negativos ligados às memórias erradas. Uma vez as energias transmutadas, sentimos uma imensa paz interior. E no vazio que acaba de se formar, nesse espaço sem limites, seremos capazes de receber a inspiração que nos é ofertada diretamente pela parte divina presente em nosso interior.

Descobrimos finalmente que formamos uma unidade com nosso ambiente. Não há separação, como frequentemente pensamos, entre nós e o que nos envolve. Essa é, sem dúvida, uma nova maneira de apreender a vida, porque quando aceitamos essa evidência e quando a vivenciamos, assumindo todas as consequências desse modo de pensar, tudo se torna mais simples. Somos livres e, principalmente, capazes de fazer o que desejamos de nossa vida.

 Um pouquinho mais
Para resumir, seria possível dizer:
Sinto muito: não sabia que tinha essa memória.
Perdão: à Vida e a mim mesmo.
Obrigado: por ter me indicado o problema que eu tinha sem saber.
Eu te amo: amo a Vida, o meio que me cerca, as pessoas ao meu redor, minhas memórias erradas, sem esquecer de mim mesmo.

O processo de transmutação

Para que a alquimia da cura das memórias se produza, a única coisa a fazer é entregar a missão à Vida ou a Deus no amor e na confiança. A transmutação será feita por si só. Vamos rever as três etapas do processo:

1) Reconhecer o próprio poder criador

Devemos reconhecer simplesmente que a origem do problema em nossa vida vem de nós mesmos. Porque, evidentemente, se consideramos que o problema é criado por outro, não podemos transferi-lo.

Criadores de nossa realidade

Devemos reconhecer que somos criadores de todo o nosso universo, de toda a nossa realidade. Quase sempre é difícil imaginar que somos suficientemente poderosos para realizar tal proeza... A partir do momento em que aceitamos essa ideia, podemos ter um pouco de vertigem e desencadear um mecanismo de medo instintivo.

Isso corresponde perfeitamente ao maravilhoso texto de Marianne Williamson que foi retomado por Nelson Mandela no momento de sua posse.

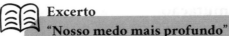

Excerto

"Nosso medo mais profundo"

Nosso medo mais profundo
não é o do não estarmos à altura,
nosso medo mais profundo
é que somos poderosos além de qualquer limite.
É nossa própria luz
e nossa obscuridade que nos assusta mais.
Nos perguntamos...
Quem sou eu para ser brilhante,
radiante, talentoso e maravilhoso?
De fato, quem é você para não ser?
Você é filho de Deus.
Se restringir, se apequenar
não presta serviço ao mundo.
A iluminação não está em se diminuir
para evitar de deixar os outros inseguros.
Nós nascemos para tornar manifesta
a glória de Deus que está em nós.
Ela não está somente em alguns eleitos,
ela está em cada um de nós,
e, à medida que deixamos que nossa própria luz brilhe,
damos, inconscientemente, aos outros
a permissão para fazer o mesmo.
Ao nos libertarmos de nosso medo,
nosso poder libera automaticamente os outros.

(Marianne Williamson. *A Return to Love –*
Reflections on the Principles of a Course in Miracles.
Nova York: Harper Collins, 1992.)

Ter consciência de que estamos na origem do problema encontrado em nossa vida constitui igualmente ter responsabilidade sobre ele. Isso nos remete ao que foi ensinado e à maneira como foi ensinado viver. Aprendemos que, em primeiro lugar, os indivíduos são responsabilidade dos pais; em seguida, são responsabilidade dos professores, do seguro social, do médico, do terapeuta ou do psicólogo, do patrão ou do diretor... Dessa forma, é difícil retomar a direção de nossa própria vida e reconhecer que, dentro de nós, existe um poder ilimitado.

Criador consciente ou inconsciente?

No entanto, não é bom se vangloriar. Mesmo quando nos deixamos conduzir, continuamos a ser criadores inconscientes do que ocorre em nossas vidas. Mesmo quando dizemos que são "os outros"...

É bem verdade que as criações que se originam nas memórias erradas dificilmente são aceitas como sendo nossas. No entanto, enquanto não as reconhecermos como nossas, nada poderá ser mudado. Desse fato, reconhecer o próprio poder criador é o primeiro passo – indispensável – para encontrar nossa autoridade interior a fim de começar a criar outra coisa que não seja uma situação desagradável.

Atualmente, no mundo, as energias mudam; parecem se acelerar. Isso terá como consequência a redução do tempo entre o momento de emissão de um pensamento e sua materialização, o que vai tornar essa última cada vez mais evidente para todo mundo.

Da mesma forma, para melhor nos adaptarmos às novas energias, é muito importante nos libertar de tudo o que é capaz de poluir nosso pensamento, isto é, de todas as memórias inconscientes que ininterruptamente surgem em nós para deformar a percepção, a maneira de pensar e, consequentemente, as criações.

2) Passar o bastão

Essa etapa corresponde a uma transferência de poder. O processo acarreta uma mudança de atitude de 180º. Deixamos de nos guiar pelas memórias erradas (nossos medos, julgamentos, crenças limitantes) e confiamos nossa vida ao ser superior que nos habita (ou nossa alma) que, melhor que a mente, sabe o que deve ser feito e o que é melhor para nós.

| **Transferência de poder**

No início, é necessário conscientizar-nos de quem somos. Ora, não somos nossas memórias; ao contrário, somos seres divinos. Então, vamos nos dirigir a essa parte espiritual que vibra dentro de nós a uma frequência bastante alta e que é puro amor. É nossa parte divina que não tem limite algum. Ela fará o trabalho de liberação, pois de maneira alguma é afetada pelas memórias. Para tanto, é preciso que formulemos expressamente um pedido a fim de nos libertar das correntes que nos mantêm, depois de muito tempo, prisioneiros dos velhos esquemas.

De alguma forma, desenvolve-se uma mudança de maestro da orquestra. Aposentamos o velho maestro – as memórias repetitivas – para dar lugar ao novo maestro – a parte divina que existe em nós –, o qual falará por intermédio de nosso ser superior e fará a limpeza necessária.

3) Abandonar as expectativas

Essa etapa consiste em... não fazer mais nada. Estranhamente, talvez seja a parte mais difícil, uma vez que estamos acostumados a tudo controlar e a tudo querer compreender, sempre procurando explicações.

Não há nada a ser mudado no exterior, tudo está no interior de nós. Quando aceitamos isso e deixamos a limpeza nas mãos de Deus, a mente não tem mais nada a fazer. Não é preciso saber como isso é feito, nem qual é a memória em jogo. Basta se entregar com toda a confiança à divindade e permitir que Deus opere através de nós. Esse desprendimento nem sempre é evidente, mas a prática o torna cada vez mais simples.

Devemos não apenas confiar na vida, mas também perceber que melhor solução para um problema nos será trazida e que ela não será sempre a solução esperada. Entretanto, isso não é importante, porque será sempre uma surpresa agradável. Neste ponto, convém que tenhamos fé no ser interior para que encontre a melhor solução: o "salto da fé". Podemos parar de lutar e permitir que as coisas se resolvam por si sós. Para tanto, é preciso dar a permissão. Isso implica igualmente deixarmos de lado qualquer expectativa específica em relação ao resultado.

Portanto, quando nos sentimos prisioneiros na rede de nossas memórias, só podemos fazer o seguinte: limpar, limpar, limpar... Porque, ao limpar, sabemos que seremos capazes de chegar a um outro nível de nossa evolução. São as memórias que nos mantém no lodaçal dos velhos esquemas. Quando liberados das memórias erradas, um espaço vazio se criará em nosso interior, um lugar sem expectativas, no qual poderemos receber as intuições e inspirações.

Antes de fecharmos esse ponto é importante notar que com Ho'oponopono não é preciso saber qual é a memória errada para que seja definitivamente apagada. Essa noção se refere às bases da psicologia e da psiquiatria modernas quando insistem que a pessoa retire as camadas de seu

Limpar, limpar, limpar!

conflito, descubra a natureza dele, estabeleça as origens e encontre em si os meios de superá-lo. Esse método, cuja eficácia foi demonstrada, no entanto, exige muitos esforços e constância, quase sempre necessitando de muitos meses ou anos de terapia antes de se chegar à solução. De alguma forma, Ho'oponopono representa um atalho à medida que é capaz de resolver o conflito em alguns instantes sem que seja necessário conhecer sua origem, o que resultará imediatamente em uma transformação da pessoa e de seu entorno.

> **Atenção**
> Ho'oponopono não poderá jamais substituir a psicoterapia, nem a psiquiatria nas patologias graves, mas tem condições de completá-las.

Receber a inspiração

A palavra inspirar vem do latim *inspiro*, que significa "soprar em ou receber um sopro". Alguns veem aí a presença de Deus e do "Sopro Divino", e a inspiração viria diretamente desse "Sopro Divino". Logo, a inspiração não é algo que demande o raciocínio.

Na Antiguidade, pensava-se que a inspiração emanava do Espírito Divino. Por conseguinte, várias descobertas são conhecidas como sendo fruto de uma inspiração. Ela chega quase sempre de maneira inesperada, quando não a esperamos, quando estamos sem expectativas. Certamente, cada um de nós já experimentou esse fenômeno. Basta deixar de procurar a solução do problema para que ela surja repentinamente quando não a esperamos mais. O vazio do pensamento corresponde ao estado no qual a inspiração pode se manifestar.

Esse processo é oposto à intenção, da palavra latina *intentio*, que significa "ação de dirigir". Ela é a marca da vontade que é conduzida pela mente: lugar onde se escondem as memórias! Desse fato, quando uma pessoa funciona pela vontade, as memórias a dirigem. Elas são fruto de dados antigos que pertencem ao passado; a inspiração, ao contrário, traz novas ideias nas quais a pessoa nunca havia pensado. A inspiração é uma informação pura, nova.

É possível obter resultados com a intenção; no entanto, com a inspiração, os milagres acontecem. Em geral, quando uma pessoa recebe uma inspiração, ela a realiza sem mesmo refletir, porque sente no fundo de si mesma que ela é "justa". Além disso, sente-se invadida pela paz interior e as partes de seu ser estão em harmonia. Sabe que, sem ter necessidade de provas, seu ser superior conversa com ela.

Pureza, justeza, paz interior

É importante ter consciência desse estado de bem-estar geral, primeiramente porque corrobora que estamos no bom caminho, isto é, estamos nos libertando de nossos velhos esquemas e entraves; depois, porque nosso ser interior se sente livre e feliz. Sentimos que brilha tanto dentro de nós como em nosso exterior um sentimento de imensurável e caloroso amor que proporciona uma impressão de unidade...

Esse estado prova, se ainda for necessário, que estamos nos libertando do passado para, finalmente, retomar o caminho da evolução.

3
Ho'oponopono em prática

É fácil aprender a transmutar as memórias erradas em energias de luz.

Uma sessão de limpeza

Para iniciar uma sessão de limpeza com Ho'oponopono, sempre é bom lembrar das **três etapas do processo de cura**:

1) Ter consciência de que somos **100% criadores de nossa vida**. Isso é essencial, pois é possível mudar aquilo que está em nosso poder, ou seja, o que está em nosso interior. Mesmo que exista diante de nós algo que nos desagrade, é necessário reconhecer que é nossa criação. A criação da realidade diante de si é fruto dos pensamentos, guiados pelas memórias.

2) Em seguida, é necessário fazer uma introspecção. Isso consiste em se conectar ao ser superior dentro de si mesmo e, por meio dele, **enviar um pedido à divindade interior** para que transforme em luz os pensamentos errados e os programas inconscientes que criaram os problemas em nossa vida. Podemos utilizar as palavras: "sinto muito, perdão, obrigado, eu te amo" (ou outras palavras de limpeza que serão apresentadas mais adiante).

3) Finalmente, **desapegar de qualquer expectativa particular**, isto é, aceitar que as soluções não nos pertencem, porque, quando temos expectativas, nos limitamos. As expectativas são enviadas pela mente que quer controlar tudo, quando ela própria, na realidade, é dominada pelas memórias. Além disso, o ser superior que me habita sabe, melhor que ninguém, o que é bom para mim. Por conseguinte, é preciso depositar uma confiança total na vontade divina. Isso nem sempre é fácil, porque temos tendência a querer tudo comandar e controlar. Isso, de fato, é uma ideia ilusória. Devemos ter em mente que não sabemos o que ocorre à nossa volta, em cada momento. A consciência só consegue tratar quarenta dos milhares de dados que os órgãos dos sentidos recebem a cada segundo. Como podemos ter a pretensão de controlar a realidade com

uma percepção tão reduzida? Como admitem os psiquiatras, tudo acontece, na verdade, em nível inconsciente. Quando compreendemos esse fato, fica mais fácil o desapego e a entrega à Inteligência Divina.

> **Um pouquinho mais**
> Ho'oponopono poderia simplesmente ser resumido da seguinte maneira: 100% de responsabilidade, intenção de limpar, amor e desprendimento. Responsabilidade, amor e resignação na fé. Dessa forma encontraremos a verdadeira identidade.

Outros pontos devem ser considerados antes de se iniciar uma sessão:

– Ter muita consciência de que não sabemos nada do que acontece no presente. Há muitas coisas acontecendo sem que tenhamos a menor consciência delas.

– Não é possível controlar tudo. Essa é a chave que nos permite ter fé em nossa Inteligência Divina. Dessa forma se inicia o desapego.

– Tudo é possível. Tudo pode ser curado. Tudo o que está em nosso caminho, pelo simples fato de estar em nosso caminho, tem condição de ser limpo.

– Dizer "Eu te amo" equivale à chave para atingir o "zero limite". A energia do amor transmuta todas as memórias; dessa maneira, é fundamental amar as memórias, os problemas e tudo o que se apresenta ao mundo. Seremos então capazes de conhecer o Deus que nos habita.

– A inspiração é mais importante que a intenção. É preciso abandonar qualquer expectativa em relação ao resultado. Quando esvaziamos nosso interior, a inspiração tem autorização para se instalar.

Feito isso, a sessão pode ser iniciada.

1) **Pense no problema**. Pode ser um problema de relacionamento, um problema físico (dores ou outros), um problema material, financeiro ou profissional.

2) **Acolha o problema e faça uma introspecção**. Entre em contato com o ser superior, a divindade interior que existe em você.

3) **Faça a respiração "Ha"**. Ela permite, ao mesmo tempo, efetuar a limpeza e estabelecer a conexão com a divindade interior.

Com os pés sobre o chão, as costas eretas, faça as quatro etapas da seguinte respiração: inspire, retenha o ar, expire, bloqueie a respiração contando até sete em cada etapa. Repita nove vezes esse movimento respiratório. Você pode também juntar o polegar e o indicador de cada mão, formando dois círculos entrelaçados (símbolo do infinito) durante todo o exercício.

> **"Let go and let God"**
> **(L. Levenson)**

4) Pense no problema e repita:
- **Sinto muito!**
- **Perdão!**
- **Obrigado!**
- **Eu te amo!**

Em seguida, deixe que Deus opere a grande limpeza.

Um pouquinho mais
Abra o coração e repita estas palavras:
"Obrigado, eu te amo. Perdão, não sabia que essas memórias dentro de mim criaram esse problema. Perdão."
Depois, coloque-se esta questão:
"Existe algo dentro de mim que cria esse problema? Estou pronto para liberá-lo. Obrigado. Eu te amo porque está em minha vida e agora é o momento de libertar esses programas inconscientes. Obrigado, eu te amo."
Depois, fale consigo mesmo, com as memórias e com o Deus que está dentro de você, porque é a energia do amor que fará a transmutação.
"Sinto muito, perdão. Não sabia que isso estava dentro de mim. Obrigado, eu te amo."
"Peço a Deus que pegue essas memórias, essas energias negativas, o sofrimento, os ressentimentos e que transmute em pura luz. Para que assim eu possa receber a inspiração e encontrar minha própria identidade."
"Sinto muito, perdão, obrigado, eu te amo."
"Sinto muito, perdão, obrigado, eu te amo."
"Sinto muito, perdão, obrigado, eu te amo."
"Sinto muito, perdão, obrigado, eu te amo."
"Sinto muito, perdão, obrigado, eu te amo."
"Sinto muito, perdão, obrigado, eu te amo."
"Sinto muito, perdão, obrigado, eu te amo."
"Sinto muito, perdão, obrigado, eu te amo."
"Sinto muito, perdão, obrigado, eu te amo."
"Sinto muito, perdão, obrigado, eu te amo."
"Sinto muito, perdão, obrigado, eu te amo."

5) Acolher a **inspiração**. A inspiração sempre vem só. Não deve ser esperada nem pedida. Se as ideias surgem, coisas nas quais nunca pensou, então distinguirá facilmente a inspiração. Ela vem do ser superior que nos habita, da divindade que está em nós. Nesse momento, tem permissão para segui-lo e agir conforme as indicações dadas por ele, porque são justas.

> Deixar as expectativas, acolher a inspiração

Os benefícios da prática de Ho'oponopono

Os benefícios da prática de Ho'oponopono são ilimitados e dizem respeito a todos os aspectos da vida e da personalidade de cada um. No entanto, é possível colocar em evidência os principais elementos.

Torna a vida mais leve e fluida

Ho'oponopono corresponde a um despossuir, no bom sentido do termo. À medida que é praticado, percebemos rapidamente que é uma boa maneira de abandonar a bagagem pesada que carregamos pela vida. Isso porque qualquer problema encontrado se transforma em oportunidade de liberação; fica evidente que, a cada limpeza, uma parte desse fardo suportado durante a existência se torna mais leve.

Muitas vezes ficamos surpresos ao perceber nossa reação exagerada diante de algum acontecimento e nos perguntamos o porquê disso. De fato, isso ocorre porque o acontecimento nos remete ao já vivido. Essa memória é reativada e induz à reação. Ho'oponopono permite consequentemente que liberemos todos os pesos que carregamos amarrados aos pés. No início, o resultado nem sempre é evidente, mas pouco a pouco nos sentimos mais aliviados e felizes.

Portanto, para viajar confortavelmente ao longo da existência, é aconselhado viajar leve e abandonar os velhos programas, os velhos conflitos, as memórias que se acumulam no cérebro e na vida. Como balões, subiremos cada vez mais à medida que largamos o lastro...

Ho'oponopono permite manter a rota

Ho'oponopono possibilita voltar para o verdadeiro caminho da vida e retornar à situação normal após ter enfrentado dificuldades. Sempre que encontramos um problema, todo o nosso ser mantém o foco nele a ponto de esquecermos todo o resto. Quanto mais mantemos o foco no problema, mais ele adquire importância em nossa vida e mais ele cresce. Por outro lado, é necessário fazer como os pilotos profissionais que nunca olham a curva, mas "após" a curva, onde pretendem chegar. O carro segue sempre o olhar do condutor.

| **Viajar leve**
| **Manter a rota**

Graças a Ho'oponopono estamos atentos à limpeza das memórias e não mais ao problema em si. Isso é o que importa. A energia se deslocará, pois se dirige para o que chama nossa atenção.

Ho'oponopono possibilita manter o foco

Ho'oponopono permite permanecer fiel a si mesmo e bem-alojado no ser profundo. Também possibilita adequações quando são necessárias. Se acreditamos que a fonte de nosso problema é externa, isso nos descompensa, uma vez que o peso se encontra fora de nós. Ho'oponopono possibilita harmonizarmos esse ponto de vista ao colocar o eixo da ação no interior de cada um. Deixamos então de valorizar e de empoderar os outros e as circunstâncias exteriores para colocar o poder no interior de nós mesmos. Consequentemente, com o eixo no nosso interior, tornamo-nos mais estáveis diante dos imprevistos da vida.

Encontrar a verdadeira identidade

Somos feitos de muitas camadas, crenças, memórias, circuitos que nos afastam da verdadeira identidade. Eles são a fonte de papéis diferentes que representamos na vida: mulher submissa, bom aluno, mãe perfeita, ou simplesmente papel de esposa, esposo, pais, filhos... Da mesma maneira a profissão é somente um papel social.

Todos esses papéis são resultado dos programas inconscientes e das memórias. Ho'oponopono, ao retirar aos poucos essas camadas, essas máscaras, nos faz descobrir quem somos realmente. No entanto, nem por isso vamos mudar tudo ou parar com tudo, mas simplesmente passamos a nos identificar com nosso verdadeiro ser e não mais com esses papéis. Faremos as coisas porque assim o desejamos e não para responder ao papel que as memórias nos haviam fixado.

A permissão para encontrar a paz interior

A ausência de conflito e de dualidade nos dirige à paz. Graças a Ho'oponopono conseguiremos atingir a unidade interior. Não há mais conflito entre o exterior e nós, uma vez que tudo está no interior. Não há mais peleja, pois aceitamos que o exterior é somente uma emanação de nosso interior: tudo é unidade... por conseguinte, aceitamos também que somos os criadores desse exterior

A alquimia do amor

e que tudo pode ser transformado pelo amor. Uma alquimia interior se produz.

Aprimorar o humor

Às vezes encontraremos tantos problemas ou, então, problemas tão grandes que não acreditaremos que somos os criadores deles. Quando estamos bem-impregnados de Ho'oponopono, esse aspecto se torna um pouco engraçado a ponto de nos perguntarmos: "Como pude inventar uma situação tão capciosa?" Só mesmo rindo, pois, de fato, já desenvolvemos uma confiança inabalável no processo de cura Ho'oponopono. Dessa forma, confiamos absolutamente na limpeza que se opera. Finalmente, indo um pouco além, quanto mais os acontecimentos são importantes, mais as memórias que estão enraizadas neles são poderosas e, consequentemente, mais a limpeza que se produzirá será benéfica para a evolução pessoal... e maior será a cura!

As ferramentas de limpeza

Essas ferramentas foram propostas pelo Dr. Len.

A oração de Morrnah

>Divino criador, pai, mãe, filho, tudo em um...
>Se eu, minha família, meus entes próximos e meus ancestrais ofendemos
>a vós, vossa família, vossos entes próximos
>e vossos ancestrais, por meio de palavras,
>ou ações, desde o início dos tempos até hoje,
>pedimos perdão...
>Limpamos, purificamos, desprendemo-nos,

suprimimos todas essas memórias negativas, bloqueios, energias e vibrações negativas, e transmutamos essas energias não desejadas em pura luz...
E que assim seja!

A respiração "Ha"

Cf. p. 53, ponto n. 3.

Água azul solar

Beber muita água é uma boa maneira de limpar. O Dr. Len receita a água azul solar.

Um pouco de água

Faça um círculo numa folha de papel e, em seu interior, escreva o problema ou a situação que o preocupa. Em seguida, coloque água em um copo, aproximadamente 2/3 do volume total. Deposite o copo com água sobre o papel no centro do círculo. A água do copo vai se encarregar das memórias relativas ao problema. Troque a água pelo menos duas vezes por dia (manhã e noite).

Simples iniciadores do processo de limpeza, essas ferramentas propõem diferentes maneiras de dirigir a atenção para a solução e não para o problema. Elas contribuem, principalmente, para que entremos em

 Um pouquinho mais
Para preparar uma água azul solar pegue uma garrafa de vidro azul, encha de água, tampe. Tome cuidado para tampar com uma rolha que não seja metálica. Coloque no sol durante uma hora. Beber essa água permitirá limpar as memórias.

contato com a parte divina que nos habita a fim de confirmar que estamos prontos: "Estou pronto, obrigado por apagar essas memórias em mim".

Criar as próprias ferramentas

Todos nós somos capazes de criar ferramentas. A seguir, indicamos alguns exemplos.

A ducha de amor ou a chuva de amor

Pense numa ducha de amor que limpa as memórias que mantêm você preso ao problema.

A respiração consciente

– Na inspiração: visualize a entrada da Energia do Universo no ar inspirado.

– Na expiração: visualize a eliminação das memórias erradas ou dos velhos e inúteis programas inconscientes quando o ar é expirado.

Os "post-it" colocados em toda parte

Escreva o seguinte:
> "Obrigado, eu te amo!"; "Eu limpo!"; ou ainda: "Sou 100% criador. Perdão e obrigado por limpar!"

4
Ho'oponopono no dia a dia

Os campos de aplicação de Ho'oponopono são infinitos. Neste capítulo encontram-se alguns exemplos concretos, colhidos de nossa experiência cotidiana.

Na prática de Ho'oponopono um elemento é essencial: não estar à procura de resultados milagrosos ou soluções precisas, mas permanecer à escuta do estado interior. Quando você sente que está mais calmo e sereno, isso significa que a limpeza já teve início. Frequentemente, constatará que esqueceu do problema inicial, simplesmente porque você já estará pensando em outra coisa.

Um problema de relação

Se você tem um conflito, ou simplesmente um incômodo, com outra pessoa, com certeza uma memória, ou várias, estão se manifestando por meio dela. Agradeça à pessoa por lhe oferecer a oportunidade de limpar as memórias das quais não tinha consciência – lembre-se da metáfora da mancha no rosto. Aceite que você é 100% responsável por sua vida e peça a Deus que ajude a limpar as memórias, abdicando do poder e sem expectativas particulares em relação ao desenvolvimento da situação.

Aceite tudo o que acontece e aproveite a ocasião que lhe é ofertada para desenvolver por essa pessoa um amor incondicional. Perdoe-se e ame-se na totalidade.

Aceitar o que acontece

Suponha, por exemplo, que tenho um problema não resolvido com meu marido sobre um determinado assunto. Sei que, sem dúvida alguma, tenho razão! Em caso de conflito, é sempre dessa maneira: acreditamos sempre ter razão e pensamos que a culpa é do outro. Nessas condições, o que posso fazer? Argumentar de todas as maneiras para convencê-lo de que tenho razão? Chantagear para fazer com que fique do meu lado? Agi dessa forma durante toda a minha vida e não funciona! Se permaneço nessa posição, fico bloqueada. Nada posso fazer.

Decido, então, agir de outra maneira. Vou corrigir os pensamentos que me levam a perceber a situação como um problema. Porque, definitivamente, o que é melhor: Ser feliz ou ter a sensação de estar com a razão? Nesse momento, aceito que a querela é 100% minha criação. A paz e o amor se desenvolvem em meu coração e penso: "Perdão, não sei o que em mim provocou essa situação. Obrigado por me mostrar. Eu te amo".

Depois, confio a Deus a limpeza dessas memórias erradas sem ter expectativas do resultado. E, coisa maravilhosa! Meu marido se aproxima e me diz que talvez eu tenha razão. E eu... já nem me lembro mais do que se trata!

Um problema financeiro

Se por acaso tem problemas financeiros, você tem memórias erradas relacionadas ao dinheiro. Praticar Ho'oponopono permitirá limpar essas memórias. Quando estiverem limpas, as respostas ou a compreensão surgirá. As novas ideias, fontes de inspiração, vêm do Eu superior. Nesse momento, é preciso passar à ação com a certeza de que se trata de uma atitude justa.

Ho'oponopono levantou o véu que o impedia de alcançar seu potencial. Quando você está cego por causa das memórias erradas, não pode alcançar novas compreensões, novos esquemas de funcionamento... ficando só e limitado.

Um obstáculo na vida

Quando, por exemplo, você não consegue realizar algo em sua vida e sente que isso é uma limitação, há uma memória agindo sobre esse aspecto de sua vida. Você começa admitindo: "Aceito o fato de ser o criador dessa dificuldade".

Agora, não lutará mais contra a dificuldade, mas, ao contrário, você agradecerá por ter a oportunidade de transformá-la. Deve começar por amá-la: "Perdão, obrigado, eu te amo. Não sei o que, em meu interior, criou isso para a minha vida".

> **Os caminhos da inspiração são ilimitados**

Em seguida, mergulhe em seu interior e, dirigindo-se ao ser superior, peça que transmute essa memória.

Ame essa memória, ame esse limite. Perdoe a si mesmo, agradeça, pois agora ela poderá ser liberada. Desapegue, deixe que ela vá. "Sinto muito, perdão, obrigado, eu te amo. Eu não tinha ideia. Obrigado, porque agora posso limpá-la. Eu te amo."

Como num passe de mágica, perceberá situações na vida que permitirão o desenvolvimento da capacidade de realizar coisas nas quais nunca havia pensado ou, então, encontrará pessoas que fornecerão ajuda... os caminhos da inspiração são ilimitados.

Uma dependência

A dependência de alguma coisa é a manifestação de uma memória... memória de vazio que a pessoa – criadora da dependência – deseja preencher. É preciso sempre começar por amar e aceitar essa dependência, uma vez que "tudo ao que se resiste, persiste".

Dessa forma, temos de amar não só a memória, como também a criança interior que sofre e tenta eliminar o sofrimento mediante o uso de álcool, tabaco, drogas, chocolate... e, até mesmo, por meio de outra pessoa.

Por outro lado, deve-se pedir ao Eu superior e, por intermédio dele, a Deus, que limpe os programas, pensamentos errados que estão dentro de nós, responsáveis pela dependência, repetindo sempre: "Obrigado, eu te amo".

| **Amar a criança interior**

A pessoa, então, deve receber as inspirações que serão suportes para:

– sua desintoxicação;

– encontrar as soluções que preencherão o vazio;

– reforçar sua identidade e, dessa forma, alcançar níveis superiores que permitirão deixar esse comportamento enfadonho.

Os caminhos se mostram diferentes para cada pessoa. Ho'oponopono nos ensina o amor, o tomar conta de si e a conquista da paciência – paciência, em primeiro lugar, consigo mesmo.

Preparar-se para um acontecimento

Ho'oponopono é capaz de nos preparar para um acontecimento importante que aguardamos e/ou tememos:

– um encontro de trabalho;

– um encontro amoroso;

– uma reunião importante;

– um casamento, um nascimento, uma festa, um aniversário;
– uma viagem.

O objetivo consiste em, antes, limpar todas as memórias relacionadas com as pessoas participantes do acontecimento como, também, todas aquelas relacionadas ao próprio acontecimento. Ao mesmo tempo em que a limpeza é feita, **deixamos de lado qualquer expectativa**. Dessa maneira, estaremos em paz qualquer que seja o resultado... Aquilo que virá será aceito como bom e perfeito!

Com a prática, ficará fácil integrar esse hábito ao dia a dia, a todo momento e para tudo o que acontece. Consequentemente, a limpeza de memórias erradas, velhas e novas, nunca tem fim.

Tudo é perfeito |

Temos um exemplo concreto: um casal deveria receber uma pessoa vinda de um país estrangeiro. Estavam felizes por acolhê-lo por razões pessoais e profissionais. Durante o trajeto até o aeroporto, o casal praticou Ho'oponopono, o que para eles era um hábito e os deixava centrados e sempre em paz. Chegando ao aeroporto, descobriram que o voo fora cancelado. Não havia como contatar a pessoa que, por sua vez, não havia telefonado avisando do cancelamento do voo.

Surpreendentemente, ficaram calmos, sem dificuldade. Não ficaram inquietos, nem decepcionados, nem frustrados, embora tivessem viajado de carro por mais de quatro horas para nada.

Esse é o objetivo de Ho'oponopono: criar a paz no interior de si mesmo, não importa a circunstância. A limpeza, antes dos fatos acontecerem, provocará a não expectativa, possibilitando que não nos alteremos diante dos acontecimentos e que recebamos de braços abertos o que está por vir. Ao viver dessa maneira, sem expectativas, permanecemos em contato com nossa divindade interior. Milagres poderão acontecer, certas coisas com as quais não contávamos.

Um problema de sobrepeso

Limpar antes de adormecer

Quando alguém adquire alguns quilos a mais, acaba prestando atenção nos outros que estão nas mesmas condições. Se ela não tivesse o problema, é provável que não percebesse o problema nas outras pessoas ou, em todo caso, isso não a atingiria. Dessa forma, se você presta atenção nos pneuzinhos dos outros, talvez precise olhar para si mesmo.

Sempre é interessante reconhecer os elementos que chamam nossa atenção, porque isso revela as coisas a serem limpas... Então, que ótima oportunidade para praticar Ho'oponopono!

Também é bom lembrar: somos 100% criadores desse sobrepeso. Além disso, é preciso amar esses pequenos quilos a mais, assim como as memórias ligadas a eles, agradecer por estarem lá e por se mostrarem. Se conseguirmos agir dessa maneira, então venceremos! Confirmar, dizendo: "Sinto muito, perdão, obrigado, eu te amo".

Muitas vezes, a partir desse momento, o sobrepeso não é mais um problema para a pessoa. Quem sabe, passados alguns meses sem que tivesse procurado seguir um regime, ela modifique a alimentação ou aumente a atividade física. Tudo acontece como se fosse mágica!

O reflexo Ho'oponopono

É possível, e até mesmo aconselhável, praticar Ho'oponopono durante as atividades cotidianas, por exemplo quando caminhamos, repetindo as quatro frases como se fossem um mantra, confessando tudo ao Eu superior, sem nenhuma expectativa particular.

Quando caminhamos, por exemplo, muitos pensamentos podem nos perseguir. Pensamos no que vamos fazer ou, ao contrário, no que já fizemos. Para cada pensamento surgido dessa maneira, basta dizer: "Obrigado, eu te amo. Obrigado, eu te amo..." Logo eles desaparecem... pequenos momentos de paz. Em seguida, um novo pensamento nos assalta... "Obrigado, eu te amo. Obrigado, eu te amo..." e a paz se instala novamente.

Com algum tempo de prática, os momentos de paz serão cada vez mais longos e frequentes. Depois, inspirações, intuições se farão presentes no espírito... Abrace-as com atenção e cuidado.

Ho'oponopono ao deitar e ao levantar

Uma boa limpeza antes de dormir é sempre muito útil. Fazê-la nos dá a oportunidade de eliminar as memórias relacionadas com os fatos ocorridos e com as pessoas encontradas durante o dia. Para isso, é possível revisar o dia, como num filme que passa na cabeça, e repetir durante essa revisão o mantra da limpeza – "Sinto muito, perdão, obrigado, eu te amo" – para cada cena, para cada situação vivida, para cada pessoa encontrada. Posteriormente, é indispensável entregar ao ser superior que nos habita todas as preocupações do momento, deixando de lado as expectativas e aceitando que tudo está perfeito.

A mesma coisa pode ser repetida ao acordar: algumas respirações profundas e nos conectamos ao ser superior e praticamos Ho'oponopono para todos os projetos, deveres, obrigações, encontros, consultas previstos para aquele dia.

Um dia em perfeita harmonia

Ao nos levantar, lançamos um grande "obrigado" e afastamos qualquer expectativa para o dia. Finalmente, afirmamos a unidade de todas as partes de nosso ser: subconsciente, consciente, superconsciente, divindade interior... e, dessa maneira, passaremos o dia em perfeita harmonia.

A limpeza do corpo

Para efetuar uma limpeza completa de todas as memórias estocadas dentro de nós, faremos a seguinte meditação:

– Deite-se ou sente-se confortavelmente, tomando cuidado para não ser perturbado durante alguns minutos (desligue o telefone, por exemplo).

– Feche os olhos e respire profundamente.

– Preste atenção em seus pés. Peça que sejam limpas todas as memórias armazenadas neles. "Obrigado, eu te amo" deve ser repetido seis ou sete vezes.

– Preste atenção sucessivamente sobre os pontos seguintes, a cada vez repetindo "Obrigado, eu te amo" por seis ou sete vezes:

• os dedos do pé: "Obrigado, eu te amo. Obrigado, eu te amo..."

• os tornozelos: "Obrigado, eu te amo. Obrigado, eu te amo..."

- as barrigas das pernas: "Obrigado, eu te amo. Obrigado, eu te amo..."
- os joelhos: "Obrigado, eu te amo. Obrigado, eu te amo..."
- as coxas: "Obrigado, eu te amo. Obrigado, eu te amo..."
- os quadris: "Obrigado, eu te amo. Obrigado, eu te amo..."
- o abdome: "Obrigado, eu te amo. Obrigado, eu te amo..."
- o baixo-ventre: "Obrigado, eu te amo. Obrigado, eu te amo..."
- os órgãos internos – fígado, estômago, rins, intestinos, vesícula: "Obrigado, eu te amo. Obrigado, eu te amo..."
- outros órgãos – coração, pulmões: "Obrigado, eu te amo. Obrigado, eu te amo..."
- a garganta: "Obrigado, eu te amo. Obrigado, eu te amo..."
- o pescoço: "Obrigado, eu te amo. Obrigado, eu te amo..."
- as mandíbulas: "Obrigado, eu te amo. Obrigado, eu te amo..."
- a boca, o nariz, os olhos, as orelhas: "Obrigado, eu te amo. Obrigado, eu te amo..."
- toda a cabeça: "Obrigado, eu te amo. Obrigado, eu te amo..."
- todas as células do corpo: "Obrigado, eu te amo. Obrigado, eu te amo..."
- todas as células do sangue: "Obrigado, eu te amo. Obrigado, eu te amo..."

- a pele, as unhas, os cabelos: "Obrigado, eu te amo. Obrigado, eu te amo..."
- os ossos: "Obrigado, eu te amo. Obrigado, eu te amo..."
- o corpo inteiro: "Obrigado, eu te amo. Obrigado, eu te amo..."

Receba as sensações que essa limpeza profunda lhe oferece e agradeça.

A limpeza das relações familiares

Os laços nos ligando aos membros da família são muito mais fortes e profundos do que os outros, por isso libertar-se deles é tão difícil. No entanto, eles nos aprisionam e impedem que sejamos nós mesmos.

Dessa forma, é preciso praticar Ho'oponopono com nossos filhos, pais, irmãos, irmãs, assim como com os outros membros da família por quem sentimos afeição particular ou, ao contrário, uma aversão.

Libertar-se dos laços familiares e das aversões não somente nos liberta dos outros, mas também proporciona uma abertura para si mesmo, permitindo que a personalidade profunda se expresse. Damos espaço para a verdadeira natureza: o amor.

Os laços familiares estão na origem de várias memórias que conduzem a vida de cada um e, isso, de maneira inconsciente. Por conseguinte, mesmo não sentindo necessidade, praticar Ho'oponopono com cada membro da família sempre é libertador. Ao mesmo tempo em que nos liberamos, também liberamos os outros para que possam seguir seus próprios caminhos de evolução.

5
Um caminho de evolução

Para muitas pessoas, Ho'oponopono constitui uma conclusão depois de anos de tentativas e de pesquisas. Quando alguém descobre Ho'oponopono, geralmente o primeiro sentimento em seu espírito é a absoluta justeza da técnica, simples e verdadeiro, nada mais havendo a acrescentar. Só falta colocar em prática.

Vítima, criador, divino

Por essa perspectiva, Ho'oponopono representaria a última etapa – ao menos no momento – da evolução dos seres humanos.

Joe Vitale, no livro *Zéro limite*[2], explica claramente os diferentes estágios dessa evolução:

> **Entregar-se à divindade interior**

– O primeiro nível consiste em considerar-se como vítima. Todos começamos a vida nesse estágio, ao sentirmos que somos impotentes e acreditando que o mundo exterior tem todo o poder sobre nós. Nesse nível, pensamos ser o resultado do mundo exterior.

– Em seguida, aprendemos que somos criadores. A partir de então, passamos a agir como se tivéssemos o controle de tudo. Para isso, utilizamos todos os meios colocados à nossa disposição: as visualizações, as afirmações, a intenção, a lei da atração... Essa etapa é necessária para que tenhamos consciência do poder criador em cada um de nós e para deixarmos de lado o papel de vítimas. Tornamo-nos mestres de nossa vida.

– Finalmente, nos conscientizamos de que em nós existe algo muito maior: a parte divina. Uma vibração mais elevada, dentro de cada pessoa, une todos entre si. Logo, começamos a ter contato com essa parte que não tem limite, notamos que nossas intenções e nossos desejos talvez sejam nossas limitações. Isso posto, finalmente compreendemos: não se pode tudo controlar. Além disso, percebemos que as coisas acontecem da maneira nunca imaginada, muitas vezes melhor, quando há desprendimento e entrega ao Eu superior. Esse es-

---

2 VITALE, Joe & LEN, Ihaleakala Hew. *Zéro limite*. Quebec: Éditions Le Dauphin Blanc, 2008.

tágio se inicia pelo desprendimento e termina pela entrega de si à divindade interior. A partir daí, sentimos a paz interior, a gratidão e a admiração.

Ho'oponopono e os terapeutas

A perspectiva aberta por Ho'oponopono é muito útil para todos aqueles que trabalham com terapias e relações de ajuda, porque possibilita olhar a terapia por um prisma diferente: impõe a saída do triângulo "vítima-carrasco-salvador".

A pessoa/paciente/doente se sente "vítima" de uma situação qualquer em sua vida: doença, dificuldades de relacionamento ou bloqueio. Ao se considerar vítima, deve haver um "carrasco" responsável pela situação: um marido infiel, um patrão intransigente, um erro bancário, uma infecção viral, um órgão deficiente, um acidente de carro etc.

A pessoa, nessa situação, procura o terapeuta para que ele encontre uma solução para o problema. O terapeuta torna-se, dessa forma, o "salvador" que libertará a vítima do "carrasco". É o mágico que soluciona problemas com uma varinha mágica.

Quando integramos Ho'oponopono à nossa vida, não é mais possível cair na ilusão de curar os outros. O terapeuta não pode mais pretender curar o paciente e o paciente não pode mais esperar ser curado pelo terapeuta. A relação se transforma em troca, na qual ambos, paciente e terapeuta, têm algo a curar dentro de si.

Todo terapeuta deveria agradecer pelo maravilhoso presente trazido pelo paciente, mostrando suas próprias zonas sombrias, os ângulos mortos que, sozinho, não é capaz de enxergar. Quanto mais esclarece suas zonas sombrias e abre seu campo de visão, mais a abertura e a luz se manifestarão no seu exterior, em particular em seu paciente.

O papel do terapeuta se traduz por viver na paz e deixar irradiar, o máximo possível, sua paz interior. Para tanto, há uma única coisa a ser feita: limpar, limpar, limpar suas próprias memórias. Assim, mostrará a todos que a paz é possível e ela começa no interior de si mesmo.

O papel do terapeuta corresponderia, consequentemente, ao do iluminador de consciências, aquele que abre possibilidades (abre novas portas), e de "transformador" de ponto de vista. Aquela pessoa que procura encarnar sua verdadeira identidade. Por meio do exemplo, incita os outros a fazer a mesma coisa, porém vai mais longe ainda:

Abrir possibilidades

– procura a "divindade" em cada pessoa para que ela recupere seu lugar no mundo;
– convida a pessoa a mudar seu ponto de vista sobre a situação, ajudando-a a sair do papel de vítima e conscientizando-a de que possui todas as coisas necessárias para se curar ou resolver o problema no interior de si mesma. Por isso, a paz começa no interior de cada um.

O caminho de cada dia

Ho'oponopono não é uma abordagem de cura instantânea. Não é algo que se realiza uma única vez e termina em seguida. Ao contrário, é como uma história sem fim à medida que sempre há algo a ser limpo.

Seria possível vislumbrar o dia no qual todas as memórias erradas pudessem ser limpas? Talvez. Isso significaria chegar a um estágio de evolução, de perfeição, de paz interior e de amor que não teríamos muito mais a fazer na Terra... somente transmitir nossa experiência aos outros.

Olhando por outra perspectiva, é possível que as diferentes memórias estejam interconectadas entre os indivíduos, isto é, que sejam partilhadas por várias pessoas ou, até mesmo, toda a humanidade. Encontramos novamente a noção de Unidade.

Ao nos libertarmos, portanto, de uma memória, liberamos os outros por idêntico processo, mesmo que nosso objetivo de partida não tenha sido esse. Essa ação participa da evolução da humanidade como um todo.

Um caminho e não um objetivo

Ho'oponopono corresponde a um caminho, não a um objetivo. A energia necessária para percorrer o caminho equivale ao "Amor". É um caminho de depuração e desapego que trará mais e mais pureza e paz interior aos seus seguidores... e aos outros também!

Ho'oponopono: caminho de cada dia, de cada instante.

Estamos todos ligados

Diferente daquele que nos é apresentado habitualmente, o Universo se constitui somente de energia e, por isso, a noção de vazio é falsa. O "vazio" está repleto de energia.

Além disso, a matéria, como a conhecemos, não existe. Ela é somente uma gigantesca concentração de energia. Desse modo, são formadas as subpartículas e as partículas que são os tijolos dos átomos e das moléculas, até chegar aos seres humanos.

Da mesma maneira, os seres humanos são energéticos muito antes de serem química. As medicinas tradicionais chinesas e indianas (ayurveda) reconheciam perfeitamente essa natureza vibratória e haviam estudado minuciosamente a constituição e a circulação energética do ser humano. Os chineses estabeleceram uma cartografia dos meridianos de acupuntura, os indianos descreveram os corpos energéticos com os chakras e a kundalini. A medicina moderna também reconhece os aspectos elétricos no homem com a polaridade das células, a circulação do influxo nervoso, a contração muscular, as ondas cerebrais etc. Em resumo, o homem, como tudo o que existe no Universo, tem natureza energética. Esse fato muda completamente a representação habitual que dele é feita.

A física quântica também estabelece, graças à teoria "onda-partícula", que uma onda (energia) pode se transformar em partícula (matéria) e inversamente – como a água é capaz de se transformar em vapor e voltar à forma líquida quando a temperatura diminui. Da mesma forma, os dois aspectos, matéria e energia, nada mais são que a mesma natureza energética e podem se intercambiar.

Nesse ponto intervém a informação. Ela organizará as formas ondulatórias ou corpusculares da energia em todo o Universo. Ora, o pensamento humano nada mais é do que uma informação carregada por uma onda. Ela também faz proezas, como demonstrado em diversas experiências da física quântica e da pesquisa russa. Foi demonstrado que o pensamento é capaz de agir sobre a matéria, como revelam os trabalhos de Pr. Masaru Emoto sobre a cristalização da água (cf. mais adiante).

Teoria de tudo

Esses fenômenos estão resumidos na "teoria das cordas" da física quântica. Trata-se da "teoria de tudo", pois unifica os diferentes princípios do Universo. De uma maneira simples e poética, eis alguns de seus preceitos:

- todas as partículas atômicas são compostas de pacotes infinitesimais de energia que vibram como cordas;
- cada corda vibra a uma frequência própria, como diferentes notas produzidas por um violão;
- essas vibrações compõem todo nosso universo... como as notas de uma sinfonia cósmica;
- depois do *Big Bang*, essas cordas se juntam e se afastam num movimento chamado vida.

Tudo isso explicaria não somente as ligações existentes entre os humanos, mas também entre os humanos e todo o Universo. Tudo está conectado.

A física quântica tem, de certa forma, condições de ajudar a compreender o funcionamento de Ho'oponopono, pois a partir do momento em que tudo é explicado como sendo energia e que o pensamento pode interferir nessa energia/matéria, começamos a compreender como as memórias erradas são capazes de moldar elementos perturbadores e, ao contrário, como um pensamento puro trará harmonia ao ambiente.

A mensagem de Emoto

Masaru Emoto é conhecido no mundo inteiro pelo trabalho sobre a cristalização da água. Ele demonstrou que a estrutura da água muda conforme a presença ou não de poluição, de acordo com a música tocada, assim como consoante os pensamentos enviados. Essa última experiência mostra como nossos pensamentos têm a faculdade de interferir na matéria, no caso, a água.

Graças também a Emoto, sabemos que nada é inexorável: aquilo que foi feito, pode ser desfeito. Se um pensamento negativo é capaz de desestruturar a água, um pensamento positivo tem condições de reestruturá-la.

| **Nada é inexorável**

Por causa disso, quando Masaru Emoto viu os enormes danos ecológicos produzidos pelo vazamento de petróleo no Golfo do México em 2010, ele teria lançado, via internet, um apelo para que o maior número possível de pessoas se unisse a fim de encaminhar um pensamento de amor e de cura para essa poluição.

Ao se inspirar nessa prática de Ho'oponopono, ele teria proposto fazer uma "prece" para agir nessa catástrofe, a fim de limitar e limpar os estragos causados ao meio ambiente. Uma vez que somos criadores de tudo o que acontece em nossa vida, próximo ou afastado, também havíamos criado aquele desastre. Portanto, ao mudar nossos pensamentos, somos também capazes de reparar e extinguir o fenômeno.

Saber se a mensagem foi realmente lançada por Masaru Emoto é difícil, mas no fundo isso não importa, pois o resultado é sua mensagem magnífica e unificadora.

Poderíamos não ficar limitados às catástrofes, mas, ao contrário, ampliar essa "prece" a todos os seres humanos que sofrem, a todas as poluições, a todas as infelicidades, injustiças e todas as guerras que, hoje, assolam a Terra. Da mesma forma, temos condições de enviar pensamentos de amor a todos os governantes do mundo, ou até mesmo do Universo, para que transformem o planeta num magnífico

Para ir mais longe
Mensagem de Emoto:
"Envio um pouco de energia do amor e da gratidão à água e a todos os seres vivos do Golfo do México e imediações. Às baleias, aos golfinhos, pelicanos, peixes, crustáceos, plâncton, corais, algas e todas as criaturas vivas... Sinto muito. Por favor, perdão, obrigado, amo vocês."

Éden onde todos os seres possam ter seu lugar na harmonia, no compartilhamento e amor.

De fato, se formos muitos a dedicar intensamente, todos os dias, alguns minutos para esse pedido, sem mesmo sair de casa, TUDO pode mudar. Não há limite para esse poder. Temos a capacidade de mudar a vida do dia para a noite.

Mesmo para aqueles que são céticos, não custa nada tentar, pois, se funcionar, como mostraram os trabalhos de Emoto, nosso planeta, nós mesmos e nossa saúde se transformarão.

As novas energias

Ian Lungold[3] pesquisou bastante o calendário maia[4]. Ele afirma que estamos agora num grande momento de evolução para estados de existência cada vez mais elevados. Isso se confirma, por outro lado, pelo aumento da frequência da Ressonância Schumann, que está em relação direta com o campo magnético terrestre. Ela era de 7,8 Hz em 1970 e passou para 12,9 Hz atualmente, o que constitui uma mudança importante e totalmente nova para a Terra.

> **Um grande momento de evolução**

Esse aumento de frequência se manifesta pela aceleração cada vez maior dos acontecimentos e perturba os seres humanos, acarretando fadiga, depressão, estresse, ansiedade, insônia, vertigens, desorientação, problemas de concentração etc.

---

3 Disponível em: http://www.mayanmajix.com/Ian_datapage.html e http://video.google.fr/videoplay?docid=-4471242431596979951#

4 Um texto sobre o calendário maia pode ser baixado gratuitamente no sítio: www.eveiletsante.fr.

Essa evolução da Terra e do Universo é implacável e possibilitará a todos os seres humanos, além de desenvolver o espírito e a consciência, estar menos ligados à matéria.

Atualmente, muitas pessoas são perturbadas por essas mudanças que ocorrem progressivamente, em patamares. Com o intuito de se preparar, tanto o corpo como a alma, para as novas energias, é preciso que essas pessoas permaneçam centradas nelas mesmas. Para tanto, é importante permanecer "íntegro", isto é, seguir o caminho do coração e das intuições, mas também permanecer conectado à energia do Amor.

Além disso, outro elemento é essencial: livrar-se de todas as memórias erradas, de todos os esquemas, dos circuitos inúteis que não têm mais nada a fazer com as novas energias e que, ao contrário, perturbarão o desenvolvimento das pessoas. Por essa razão, Ho'oponopono amplia sua atuação em todas as partes do mundo para ajudar os seres humanos a diminuir os fardos que carregam, a se livrarem de maneira simples das memórias negativas que transportam. Para tanto, uma condição se impõe: ter consciência dessas memórias e fazer o pedido de limpeza.

Integridade, intuição, amor

Ho'oponopono permitirá aos seres humanos romper os grilhões do passado para alcançar as novas energias, anunciadoras das próximas mudanças maravilhosas que ocorrerão para o bem de toda a humanidade.

Conclusão

Ho'oponopono é uma admirável ferramenta que não necessita de longas e cansativas horas de aprendizado. Não precisa da ajuda de ninguém, de nenhum mestre, guru ou condutor. A técnica é muito simples e, curiosamente, se escutarmos nossa intuição, sentiremos no fundo da alma que esse caminho é justo.

Simplicidade

O princípio é encontrar em nosso ambiente o que não está funcionando direito, o que é sofrimento e desarmonia. A partir daí é preciso se convencer de que essas desarmonias refletem os sofrimentos interiores originados em memórias passadas. A chave, a solução, consiste simplesmente em enviar amor e perdão para cada memória, a fim de que desapareça como se fosse mágica. Simples assim, nem parece ser verdade... No entanto, basta experimentar para perceber o quanto funciona, e isso vale mais do que qualquer explicação. Em seguida, uma vez que o problema é apagado, nossa realidade se transforma como se misturássemos tintas de cores distintas: a mudança é inevitável.

A realidade, portanto, seria somente a representação das diferentes facetas de nossa personalidade, conscientes e inconscientes, harmoniosas ou desarmoniosas. A psicologia, assim como a psiquiatria, já lançou mão dessa noção.

Jung fala de "sincronicidades" que ocorreriam em nossa vida como indicadores do caminho a seguir, embora sem explicar de onde surgem as estranhas coincidências.

Ho'oponopono explica perfeitamente como esses fenômenos se produzem quando afirma sermos nós, e somente nós, os criadores da realidade (nossa realidade), do ambiente no qual vivemos, das pessoas que encontramos, dos acontecimentos de nossa vida. Apresentado de outra maneira, podemos dizer que o interior e o exterior estão ligados, ou até mesmo que formam uma única entidade.

Essas noções vão ao encontro de certos aspectos da física quântica que explicam como o pensamento age sobre a matéria, mas também que estamos unidos a todo o Universo. Decorre de tudo isso a questão colocada por muitos pesquisadores: "E se tudo não passasse de informação?" Questão judiciosa, mas terrivelmente incômoda para os espíritos cartesianos. Além disso, se avançarmos um pouco mais, chegaríamos ao ponto de questionar a existência do real.

O amor transcende tudo

De fato, Ho'oponopono ensina: O que vivemos é somente o reflexo de nossa realidade interior; desse modo, cada um dá origem à própria realidade como um artista que cria uma tela.

Nessas condições, vamos seguir o caminho de Ho'oponopono. Ele indica que podemos mudar o mundo sem nem mesmo sair de casa e, consequentemente, que somos capazes de criar um paraíso ou um inferno conforme as memórias ativadas. Ho'oponopono ensina ainda: O amor é a força que tudo domina e tudo transcende. Ele não se opõe ao ódio ou à maldade, mas é compaixão e bondade. O amor é a chave que possibilita apagar todas as memórias negativas e desenvolver uma realidade, ou melhor, um interior harmonioso.

Ho'oponopono nos mostra o caminho para que isso aconteça.

A realidade é nossa responsabilidade. Essa afirmação nos conduz imediatamente à culpa; noção equivocada, segundo Ho'oponopono. É conveniente que nos vejamos como criadores de nossa tela, ou seja, como organizadores de nossa realidade que pode ser feita ou desfeita conforme nossa vontade e aspiração. A realidade não possui, desse ponto de vista, consistência em si. Como então poderíamos ser responsáveis? O artista é responsável por sua tela? A questão não se coloca dessa maneira, pois ele é o criador, tendo a faculdade de deixar a tela como está ou modificá-la se tiver vontade.

Cada um deve encontrar a resposta

A realidade, portanto, não existiria. Ela muda incessantemente de acordo com nossas aspirações e, na maioria das vezes, nem percebemos. A vida seria, desse modo, uma grande ilusão; isso nos remete à filosofia budista, ou, melhor ainda, à perspectiva dos aborígenes australianos quando falam em "fazedores de sonhos". Quem sabe seja um sonho: Sonhamos que vivemos e, assim, fazemos experiências capazes de servir à nossa evolução pessoal? Cada um deve encontrar sua resposta.

Um fator admirável em Ho'oponopono: nada é imposto e estamos livres para pensar naquilo que desejamos. Tudo está bem... porque cada explicação corresponderá precisamente à realidade presente em cada um. Não pode haver, assim, uma única resposta. Há tantas respostas quanto indivíduos no Universo.

Ho'oponopono é ao mesmo tempo uma filosofia notável e uma ferramenta simples e eficaz que permite transformar a vida, quase transcendê-la, porque ao experimentar Ho'oponopono e constatar os resultados no cotidiano estaremos para sempre mudados.

Ho'oponopono torna evidente que:
"Não somos seres humanos procurando a natureza espiritual. Somos, ao contrário, seres espirituais tendo, nesta vida, uma experiência material".

**Não acredite em juramentos;
experimente você mesmo.**

Anexos

Meditações

1
Meditação para entrar em contato com o Eu superior

Jean Graciet

Comece sentando-se confortavelmente... em uma cadeira ou poltrona... e você vai oferecer a si mesmo um momento de repouso e relaxamento... Feche os olhos quando achar que está pronto... conscientize-se do lugar escolhido para esta meditação... aquilo que está próximo... os ruídos... a temperatura... o espaço... os odores, talvez... Sinta o contato do corpo com o assento... as costas com o encosto... as mãos colocadas sobre as coxas... os pés sobre o solo...

Comece a respirar conscientemente... comece inspirando PROFUNDAMENTE, mantendo por alguns instantes o ar dentro dos pulmões, três ou quatro segundos... depois deixe o ar sair LENTAMENTE pela boca... Inspire de novo PROFUNDAMENTE... sinta o ar encher os pulmões com uma nova energia... Mantenha o ar por alguns segundos para que essa energia inunde todo o corpo... e, LENTAMENTE, expire pela boca todas as velhas energias, gastas... Continue inspirando PROFUNDAMENTE mantendo o ar por alguns instantes... em seguida expire LENTAMENTE.

Continue a fazer essa respiração e atente para o fato de que está cada vez mais relaxado... sinta os músculos de seu corpo se distenderem... conscientize-se de que os músculos do rosto estão relaxados, apaziguados... a testa, os músculos das mandíbulas, a boca... em seguida, a nuca, os ombros... sinta de um lado do corpo, depois do outro, ou dos dois lados ao mesmo tempo, um delicioso fluxo de relaxamento que vai até os quadris... os músculos das coxas... os calcanhares... até os pés...

Agora, você está num momento de agradável relaxamento... sinta nos braços e nas pernas esse estado prazeroso... e respire num ritmo regular e benéfico... agora, você se encontra em condição descontraída e cada vez mais pacífico...

Ao mesmo tempo em que se conscientiza de que a respiração está mais lenta, talvez possa prestar atenção no interior de seu peito... em seu coração... esse lugar consagrado como um santuário... Entre nesse espaço e sinta a energia... Preste atenção na luz doce e repousante que o invade... Permaneça alguns instantes aí e aproveite esse momento de recolhimento... o momento em que você está consigo mesmo... aqui e agora.

Talvez possa perceber uma sensação que está aí... alguma coisa... talvez um pensamento... talvez uma sensação física ou outra impressão... aceite essa percepção.

Durante esse acolhimento, aceitação... sinta uma presença junto de você... uma presença de bondade infinita... se pergunte: Que presença é essa?... É o Eu superior... a parte sempre perfeita da pessoa, não importa o que aconteça... a parte com o conhecimento do melhor para você, pois sabe exatamente o que deve ser feito...

Agora compreenda: está em condições de se entregar ao amor que seu Eu superior sente por você... Amor sempre presente, sem que tenha de pedir ou fazer algo para merecer... tudo o que precisa fazer é aceitar. Perceba como irradia o amor que o Eu superior sente por você... deixe essa luz de amor se

Ouvir o Eu superior

espalhar por todo o seu corpo, por todo o seu ser...

Dessa maneira, você o ouvirá no silêncio... poderá pedir-lhe que permita sentir sua presença... reconheça e confie totalmente nele... tenha a certeza de contar com ele para libertá-lo do poder das memórias erradas encontradas pela vida... basta pedir... ele sempre escutará...

Uma vez o contato estabelecido, você compreende que seu Eu superior sempre esteve e sempre estará a seu lado... hoje e sempre estará na escuta. A ligação criada se desenvolverá cada vez mais, e mais facilmente... a ligação de amor será reforçada... o Eu superior ajudará a manter o foco no objetivo: limpar sem parar as velhas memórias erradas, causas de cada problema que acontece na vida, pronunciando as palavras-chave: "Obrigado... Eu te amo". A partir do momento em que ouvir essas palavras, o Eu superior será capaz de limpar completamente essas memórias. As palavras-chave "Obrigado... Eu te amo" se transformam em recurso poderoso, permitindo entrar em contato a qualquer instante com o Eu superior.

Então você está apto para confirmar seu amor e agradecer por tudo o que ele já fez por você e, também, agradecer pelo incansável e constante apoio...

Uma vez mais será capaz de se concentrar em seu coração para sentir esse amor total... amor incondicional que ambos sentem, você e o seu Eu superior; depois, sinta esse amor se irradiando em todas as células, até a menor parte do corpo, brilhando como um imenso facho de luz...

Quando sentir que o momento chegou, estará em condições de voltar tranquilamente a seu ritmo normal, no lugar onde está sentado para a meditação...

"Obrigado... Eu te amo!"

2
Meditação para se conectar à criança interior

Jean Graciet

Comece se instalando confortavelmente em uma cadeira ou poltrona... preste atenção a todas as coisas à sua volta... os ruídos, a temperatura e os odores do lugar... em seguida, o contato do corpo com o assento... Pense em atingir um estado de grande e confortável relaxamento... nesse momento não há nenhum lugar onde possa ir nem nada que possa fazer... você só está presente aqui e agora...

Se acaso ainda não o fez, feche os olhos... sinta o contato de seu corpo com o assento... das costas com o encosto... os pés no chão e, talvez, as mãos em cima dos joelhos...

Agora, pense na respiração... faça várias respirações lentas e profundas... inspire PROFUNDAMENTE enchendo os pulmões de ar... mantenha o ar por alguns segundos... expire LENTAMENTE... de novo, inspire PROFUNDAMENTE enchendo os pulmões de ar... mantenha o ar por alguns segundos... expire LENTAMENTE... Concentre-se nas sensações que experimenta quando o ar entra pelas narinas... sinta o ar acariciando os lábios quando é expelido... continue a inspirar PROFUNDAMENTE enchendo os pulmões de ar... mantenha o ar por alguns segundos... expire LENTAMENTE...

Cuidar da criança interior

Agora, está relaxado... enquanto a sensação de agradável relaxamento invade seu corpo... comece a perceber os músculos do rosto se distendendo cada vez mais... sinta a calma afável que se espalha pelo rosto, pelos músculos da mandíbula... em volta da boca... a serenidade se alastrando pelo pescoço... pelos ombros... pelos braços... tenha cada vez mais a sensação de relaxamento... uma percepção de bem-estar invade as costas e a coluna vertebral... descendo até os quadris... as coxas... os joelhos... você se sente, agora, relaxado e sereno...

Enquanto aproveita esse momento de tranquilidade, imagine um maravilhoso jardim cheio de belas flores, plantas variadas e árvores... nele há tudo o que deseja... todas as suas plantas preferidas. No maravilhoso jardim há muitas pedras... caminhos rodeados por flores... talvez possa ouvir o murmúrio das águas... sem dúvida um riacho ou uma fonte... dê espaço para a imaginação e crie o próprio jardim com todas as plantas de sua preferência...

De onde está, nesse jardim encantador, você avista uma criança que, antes, não havia percebido... ao olhar para ela, a reconhece: a criança interior... Observando-a atentamente, note o rosto, o corpo, os movimentos... ela se desloca pelo jardim... explorando... De repente, para diante de uma árvore, toca o tronco... prosseguindo pelo caminho, se abaixa diante de uma flor, talvez para sentir o perfume... ou para observar as cores das pétalas... a textura... talvez, simplesmente acariciá-la...

Passeando pelo jardim, maravilhada com tudo o que vê, a criança se sente livre e em segurança.

Será que ela quer se aproximar? Será que precisa de alguma coisa?... Pergunte a ela... diga que está ali para ajudar e para cuidar dela... A criança guarda consigo muitas memórias escondidas, fontes de emoções e sofrimentos... fale o quanto a ama e que, de agora em diante, você sempre estará presente... Ela precisa ser amada, confortada... talvez deva pegá-la em seus braços... se for o caso, faça isso... sinta a confiança depositada em você, ela está reconfortada...

Deixe em seguida que ela continue a explorar o jardim... se for seu desejo, acompanhe-a em sua caminhada... segure-a pela mão... dessa maneira, você sabe que nesse jardim sempre poderá encontrar a criança interior... em toda segurança...

Esse jardim sempre estará à sua disposição para o relaxamento... para encontrar, identificar e receber as emoções passadas... aqui, encontrará a criança interior e confirmará seu amor por ela... dessa forma, ela ficará tranquila e voltará, pouco a pouco, a ser a criança pura e iluminada que sempre foi...

Agora, lentamente, pode voltar ao ritmo normal, sentado na cadeira... no lugar escolhido para a meditação...

Eu escolho a paz e a liberdade.

Este texto foi escrito por Jean Graciet para elaboração do CD de áudio Ho'oponopono, um caminho para a consciência (parte 2).

3
Exercício utilizando a técnica Z-point

Este exercício é baseado em uma técnica energética chamada Z-point. Foi criada por Grant Connoly no Canadá. O procedimento é usado para programar o subconsciente para que aceite iniciar o processo de limpeza quando encontrarmos um problema. Ela é capaz de auxiliar na integração de Ho'oponopono em nosso cotidiano.

Para tanto, devemos utilizar uma palavra-chave que, repetida várias vezes, penetrará nas diferentes camadas de nosso subconsciente. Podemos usar "Obrigado, eu te amo!", por exemplo, e imaginar uma chuva de amor que nos limpa.

**Palavra-chave:
"Obrigado, eu te amo!"**

Comecemos pela leitura do texto a seguir, que instalará o programa de cura. A instalação é feita uma única vez, não sendo necessário refazê-la.

Faça algumas respirações profundas e leia em voz alta:

> Por estas palavras, confirmo a intenção de obter, de meu subconsciente, a melhor das limpezas. Todas as vezes que encontrar um problema em minha vida, ao pensar ou falar uma palavra-chave – por exemplo, um mantra –, as memórias relacionadas ao problema em questão serão imediatamente liberadas. Isso será feito de maneira calma, fácil e segura.

Quando usar esta técnica de limpeza, libertarei todos os pensamentos, crenças, emoções, ideias preconcebidas e julgamentos que um dia tive, relacionados com o que está escrito no círculo ou o que chama minha atenção. Repetirei a palavra-chave e, ao mesmo tempo, contarei de dez – que corresponde ao momento atual – até zero – momento em que a situação teve início. Durante esse tempo, meu subconsciente fará a limpeza em todas as camadas de meu ser. Obrigado!

Quando o programa tiver sido instalado, você está em condições de fazer o seguinte exercício: tome consciência de algo que traga preocupação; por exemplo, um problema de relacionamento interpessoal. Pense na pessoa e deixe aflorar a emoção que esse pensamento provoca. Faça, em seguida, um círculo numa folha de papel, escreva o nome da pessoa e a emoção relacionada a ela.

Deixar transparecer as emoções

Pode também fazer isso mentalmente. É importante permanecer centrado nesse pensamento.

Em seguida, conte de dez a zero. A cada número, repita sete vezes a palavra-chave.

10... palavra-chave
9... palavra-chave
8... palavra-chave
7... palavra-chave
6... palavra-chave
5... palavra-chave
4... palavra-chave
3... palavra-chave
2... palavra-chave
1... palavra-chave
0... palavra-chave

Respire profundamente e continue repetindo a palavra-chave, como um mantra; ao mesmo tempo, fixe o olhar no círculo. Permaneça focalizado no problema.

A palavra-chave é um meio facilitador que possibilita, a qualquer momento, entrar em contato com essa parte de si mesmo que está no amor e na união com o todo.

Referências

EGLI, René. *Le principe Lola* – La perfection du monde. Wettingen/Suíça: Éditions d'Olt, 1999.

EMOTO, Massaro. *Les messages cachés de l'eau* – Le miracle de l'eau. Paris: Édtions Guy Trédaniel, 2008.

FERRINI, Paul. *L'Amour sans conditions*. Quebec: Éditions Le Dauphin Blanc, 2006.

FORD, Debbie. *La part d'ombre du chercheur de lumière*: recouvrez votre pouvoir, votre créativité, votre éclat et vos rêves. Paris: J'ai lu, 2010.

GAWAIN, Shakti & KING, Laurel. *Vivez dans la confiance en soi pour inspirer les autres*. Paris: J'ai lu, 2004.

JAMPOLSKY, Gerald. *Aimer, c'est se libérer de la peur*. Toulon: Éditions Soleil, 1988.

KATZ, Mabel. *La voie la plus facile*. Quebec: Éditions Le Dauphin Blanc, 2010.

MELLO, Anthony de. *Quand la conscience s'éveille*. Paris: Albin Michel, 2002.

SHOOK, Victoria E. *Ho'oponopono*: Contemporary Uses of a Hawaiian Problem-Solving Process. East-West Center Studies.

VITALE, Joe & LEN, Ihaleakala Hew. *Zéro limite*. Quebec: Éditions Le Dauphin Blanc, 2008.

WILLIAMSON, Marianne. *Un retour à l'amour*. Manuel de psychothérapie spirituelle: lâcher prise, pardonner, aimer. Paris: J'ai lu, 2006.

_____. *A Return to Love* – Reflections on the Principles of a Course in Miracles. Nova York: Harper Collins, 1992.